Virginia Watson

POCA
HON
TAS

[1916]

The PRINCESS Pocahontas

BY

Virginia Watson

Author of "WITH CORTES THE CONQUEROR"

WITH DRAWINGS and DECORATIONS by
✦ GEORGE·WHARTON·EDWARDS ✦

PHILADELPHIA
THE PENN PUBLISHING COMPANY

POCA HON TAS

Princesa Pocahontas

Virginia Watson

Tradução de Carolina Caires Coelho
2ª edição | 2021

Tradução
Carolina Caires Coelho

Preparação de texto
Valquíria Vlad

Revisão
Karine Ribeiro
(e tradução do Posfácio)

Capa e Projeto Gráfico
Marina Avila

Imagens
Pocahontas da capa e da folha de rosto: Janaina Medeiros
Florais: Ilustradora Lisla
Ilustrações do miolo: George Wharton Edwards
Imagens da Intro: Nehlig, V. 1874. loc.gov e W. Duke, Sons & Co, 1888.
Abertura da pág. 23: O Casamento de Pocahontas, de McRae, John C. loc.gov

2ª edição | 2021 | Geográfica

Dados Internacionais de Catalogação na Publicação (CIP)
(Câmara Brasileira do Livro, SP, Brasil)
Catalogação na fonte: Bibliotecária responsável : Ana Lúcia Merege - CRB-7 4667

W 343
Watson, Virginia

Princesa Pocahontas / Virginia Watson; tradução de Carolina Caires Coelho. – São Caetano do Sul, SP: Wish, 2019.

320 p.

ISBN 978-85-67566-26-9

1. Ficção norte-americana I. Coelho, Carolina Caires II. Título

CDD 813

Índice para catálogo sistemático:

1.Ficção : Literatura norte-americana 813

Editora Wish
www.editorawish.com.br
São Caetano do Sul - SP - Brasil

© Copyright 2020. Este livro possui direitos de tradução e projeto gráfico e não pode ser distribuído ou reproduzido, ao todo ou parcialmente, sem prévia autorização por escrito da editora.

Dedicatória da Editora

Para todos os que amam as cores da diversidade cultural

Smith resgatado por Pocahontas, editor Schile, H., 1870
Library of Congress Prints and Photographs Division

POCAHONTAS

1 | O retorno dos Guerreiros … 25
2 | Pocahontas e o curandeiro … 37
3 | Meia-noite na floresta … 48
4 | Repreensão … 59
5 | Os grandes pássaros … 72
6 | A tentação de John Smith … 81
7 | Uma briga no pântano … 94
8 | Pocahontas desafia Powhatan … 106
9 | A carcereira de Smith … 118
10 | A cabana na mata … 130
11 | Pocahontas visita Jamestown … 141
12 | A embaixatriz de Powhatan … 154
13 | A coroação de Powhatan … 165
14 | Uma ceia perigosa … 178
15 | Uma despedida … 190
16 | Capitão Argall faz um prisioneiro … 200
17 | Pocahontas perde um amigo … 209
18 | Um batizado em Jamestown … 221
19 | John Rolfe … 231
20 | O casamento … 243
21 | No rastro de um ladrão … 254
22 | Pocahontas na Inglaterra … 264

EXTRAS

Introdução de 1916 … 10
Prefácio da Tradutora … 16
Pósfácio: Além dos diários de John Smith … 283

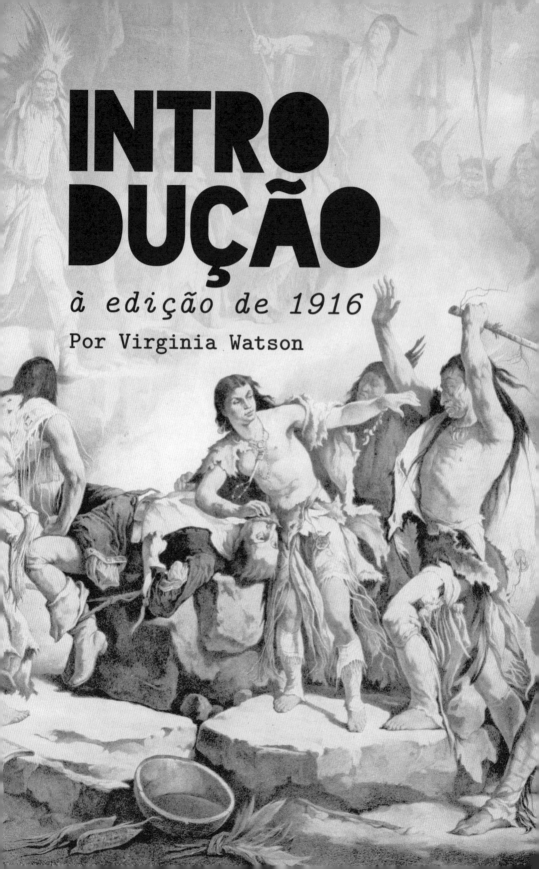

INTRODUÇÃO
à edição de 1916
Por Virginia Watson

Para a maioria de nós que leu a história antiga do Estado de Virgínia somente na escola, Pocahontas é apenas alguém que apareceu em meio a uma cena dramática – aquela na qual ela salva John Smith. Nós a imaginamos ajoelhada ao lado do inglês prostrado, com as mãos erguidas para afastar o machado.

Por acaso, comecei a ler mais a respeito do acampamento do inglês em Jamestown e sobre a ligação de Pocahontas com ele, e quanto mais lia, mais interessante e real ela foi se tornando para mim. As histórias antigas me deram os fatos e, guiada por estes, minha imaginação começou a seguir a moça índia conforme ela percorria as florestas ou os vilarejos dos Powhatans.

Estamos crescendo neste novo país. E quando as crianças ficam mais velhas, começam a ter curiosidade a respeito da infância de seus pais, por isso passamos a nos interessar de novo pela história do

INTRODUÇÃO DE 1916 | 11

Acima:
Capitão John Smith, 1888. *Library of Congress Prints and Photographs Division*

início da América. As histórias reais e as imaginadas que envolvem os índios e as guerras entre eles e os colonizadores fizeram do homem vermelho o próprio diabo encarnado, sem atribuir a ele nenhuma qualidade além da coragem. Mas agora, existe uma nova aura de compreensão. Estamos descobrindo que frequentemente o índio foi injustiçado e o homem branco foi o causador da injustiça. Há muitos registros de acordos fielmente mantidos pelos índios e deslealmente quebrados pelos colonizadores. Virgínia foi o primeiro estabelecimento inglês permanente naquele continente, e se não foi o *mais importante*, no mínimo é tão importante para nosso futuro desenvolvimento quanto o de New England. De uma pequena semente, lançada naquela ilha de

Jamestown em 1607, surgiu o poderoso Estado, a ponto de ela ter espalhado sementes de outros Estados e de homens e mulheres importantes para multiplicar e enriquecer a América. E a semente criou raízes em meio a perigos! Mas não fosse pelo auxílio de uma garota – até onde o homem é capaz de julgar – teria sido arrancada e destruída.

Na verdade, quando analiso toda a história do mundo, não consigo encontrar outra criança de treze anos, menino ou menina, que tenha tido tamanha influência sobre o futuro de uma nação. Mas não fossem a proteção e o auxílio que Pocahontas conseguiu do Chefe Powhatan para seus amigos ingleses em Jamestown, a Colônia teria morrido de fome ou com as flechas dos índios hostis. E a importância dessa Colônia aos futuros Estados Unidos foi tão grande que devemos a Pocahontas, ainda que em nível menor, parte da mesma gratidão que a França deve a Joana D'Arc.

O maior préstimo de Pocahontas aos colonos não está no fato de ela ter salvado a vida do Capitão Smith, mas, sim, no socorro constante que prestava ao assentamento onde pessoas passavam fome. Na realidade, existem historiadores que afirmam que a história do resgate de Smith, realizado por ela, é uma invenção sem fundamento. Mas em contradição, repito a frase de Lyon Gardiner Tyler, autor da obra *England in America*, mas retirada do livro *The American Nation: A History*:

A credibilidade dessa história foi atacada... Smith sempre foi retratado de modo inadequado e com preconceito em suas afirmações, mas isso está longe de dizer que ele propositalmente confundia as coisas ou inventava histórias sem base[1].

E da *The New International Encyclopaedia*:

Até Charles Deane abordá-la (a história do resgate de Smith feito por Pocahontas) em 1859, raramente era questionada, mas devido, em grande parte, a seus críticos, logo se tornou desacreditada, de modo geral. Nos últimos anos, porém, houve a tendência de compreendê-la.

É nos próprios escritos de Smith, *Generall Historie of Virginia* (1624) e *A True Relation* (1608), que encontramos os melhores e mais completos relatos desses primeiros dias em Jamestown. Ele nos conta não apenas o que aconteceu, mas como o novo país era; os tipos de brincadeiras que havia, como os índios viviam, e as impressões que ele teve dos costumes deles. Smith não conhecia certos fatos sobre os índios com os quais agora estamos familiarizados. A curiosa cerimônia que ocorreu na cabana na floresta, um pouco antes de o Chefe Powhatan libertar Smith e permitir que ele voltasse a Jamestown, ele não conseguiu compreender. Historiadores modernos acreditam que provavelmente foi a cerimônia de adoção na qual Smith se tornou um membro da tribo.

Em muitos pontos desta história, não apenas me mantive fiel à narrativa do próprio Smith a respeito do que aconteceu,

---

1 Verificar o Pósfacio no final do livro (pág. 283) sobre a compreensão atual dos diários de Smith. [N.E.]

Acima:

Pocahontas se apresenta, 1876, *A popular history of the United States*, Lincoln Financial Foundation Collection

mas também usei as mesmas palavras que ele usou nas conversas registradas.

Pode ser que haja leitores dessa história que queiram saber o que aconteceu com Pocahontas. Ela adoeceu, acometida por uma febre, quando estava prestes a voltar para casa, na Virgínia, e morreu em Gravesend, onde foi enterrada. Seu filho Thomas Rolfe foi educado na Inglaterra e mandado para Virgínia, onde foi criado. Sua filha Jane se casou com John Bolling e, entre seus descendentes, houve muitos homens e muitas mulheres famosos, incluindo Edith Bolling (Sra. Galt), que se casou com o Presidente Woodrow Wilson.

Virginia Watson, 1916

PREFÁCIO
da Tradutora

Por Carolina Caires Coelho

A história
contada e a história não contada

O ano é 2000 e eu estou em um túnel que se conecta a vários outros túneis. Estou conhecendo um mundo novo, é um mundo subterrâneo, meio uma realidade à parte, com príncipes e princesas descabelados, sem peruca, sem sapato, vestindo calça jeans. Tem sereia também, às vezes fumando, às vezes almoçando e tomando uma lata de Coca-Cola® com canudos de plástico.

Não é um sonho maluco. São os bastidores de um parque da Walt Disney World®, local onde trabalhei durante um verão. Um lugar onde as pessoas trabalham procurando manter a magia viva, fazer com que cada momento seja inesquecível, transformando sonhos em realidade. A Disney vive, como nenhuma outra empresa, de sonhos. E o principal chamariz para os parques são os filmes que ela produz. Você certamente tem na lembrança um filme do qual gostou muito e, dele, tem um personagem preferido.

Você deve se lembrar das músicas desse filme, de cenas importantes, até de falas de personagens. Sim, tudo muito mágico, porque lá é o mundo da fantasia, é a máquina de dar vazão a sonhos infantis ou impossíveis.

A Disney, ao longo de sua existência, usou muitas histórias já populares, cuja origem nem sempre é possível determinar, escolhendo uma versão mais próxima do ideal "mágico", do encanto, com adaptações pertinentes feitas antes da exposição ao público. Normalmente, são escolhidas fábulas, contos de fadas. Mas há também o caso de produções com origem na realidade, como é o caso da história de Pocahontas, que é verídica. Ou melhor, que existiu, mas cuja veracidade não é trazida na íntegra pela Disney. Nem por ninguém, na realidade, e vamos falar sobre isso daqui a pouco.

Quando a Editora Wish me chamou para fazer a tradução de *Pocahontas*, fiquei encantada, claro. Além de sempre ser um prazer trabalhar com essa equipe de mulheres talentosas e dedicadas, Pocahontas é uma história linda demais, motivo de alegria para qualquer tradutor, uma honra para mim. Logo me lembrei da Pocahontas da Disney, afinal, por ter passado meses vivendo a magia de perto, é a lembrança mais forte, claro, apesar de eu já saber, antes do convite, que a história de Pocahontas é real e que a princesa índia que vem à mente graças à produção de 1995 é apenas um personagem inspirado nela, como talvez seja mais justo dizer.

Pocahontas existiu, sim. Nasceu aproximadamente em 1595, numa região onde hoje se localiza o Estado da Virginia, nos Estados Unidos. Sua curta vida – teria vivido 23 anos, apenas – deu origem a diversas histórias e mitos. Ela teria sido a intermediária na paz estabelecida entre os brancos e os índios, na época da colonização do território norte-americano, mas talvez não num primeiro momento, já que, com o cruzamento de dados, sabemos que Pocahontas era uma criança na época da colonização. John Smith teria sido raptado por índios powhatan e Pocahontas – ou Matoaka, já que Pocahontas era algo mais parecido com um apelido, não seu nome real – teria intervindo, dizendo a seu pai, líder de muitas tribos da região, que matar o líder branco causaria uma situação indesejável, que despertaria a ira dos colonos. John Smith, anos depois, contou a história de acordo com sua interpretação dos fatos. Levando em conta a dificuldade de comunicação que a falta de um idioma em comum traria – uma vez que ele não falava a língua dos índios –, é totalmente possível que John Smith tenha interpretado uma etapa de algum ritual como sendo uma intervenção favorável de Pocahontas, o que pode não ter ocorrido de fato.

Apesar do que foi imaginado ou idealizado por muitos que passaram a história adiante, aparentemente, a história de Pocahontas envolveu muito menos romance do que se pensa. Tentarei não contar muito aqui, em respeito a quem nada sabe sobre a história e a quem vai se entregar a ela a partir de agora. O que posso dizer sem estragar nada, é que Pocahontas aprendeu a falar inglês e conheceu os costumes dos brancos, pois passou um ano como prisioneira deles. Decidiu converter-se ao cristianismo e escolheu o próprio nome – Rebecca – ao ser batizada.

Independentemente do que é contado, o que mais parece plausível em todos os relatos e registros é que a índia, por ter conhecido a cultura dos brancos, foi muito importante, atuando como tradutora e embaixadora de seu povo.

No entanto, como conta a historiadora americana Camilla Townsend, professora de História da Rutgers University, essa atitude tem muito mais a ver com uma postura estoica por parte de Pocahontas para defender seu povo – uma vez que os índios não tinham condições de vencer os homens brancos, donos de tecnologias às quais o homem vermelho não tinha acesso, como armas e embarcações –, do que com interesse ou amor pela cultura europeia. No início dos anos 1800, era confortável vender a imagem de Pocahontas como a de uma princesa índia interessada nos costumes dos ingleses, pois isso, de certa maneira, deixaria a imagem do branco menos manchada; uma possível afeição de Pocahontas indicaria que o homem branco era bom e gentil, diminuindo, assim, a imagem de explorador de terras indígenas. Inclusive, para a comunidade indígena, isso faz pouco ou nenhum sentido. Por falar nisso, na busca por registros da vida de Pocahontas, os historiadores descobriram que os índios da tribo Pamunkey, tribo da qual Pocahontas fazia parte, já estavam cansados de encontrar pessoas interessadas na história da índia apaixonada pela cultura branca, o que, para eles, é pouco plausível.

Para o leitor que está prestes a conhecer a história mais realista de Pocahontas que este livro traz, talvez seja interessante pedir que, antes de começar a leitura, ele se despeça das imagens que já nos são tão familiares, ou que ao menos deixe tais imagens de lado, como pertencentes a outra história, para mergulhar numa história "nova", talvez diferente do que pode ser esperado, afinal, ela não deixa de ter os elementos de ficção incluídos pela autora, Virginia Watson, e também não deixa de ser curta, devido à vida breve de sua protagonista e de uma linha do tempo relativamente limitada. Mas traz uma oportunidade de pensarmos na história dos nativos americanos e dos colonizadores como algo mais fidedigno e próximo da realidade. Assim, tornando o relato algo maior, como certamente é, seja possível sairmos do contexto da colonização dos territórios estrangeiros para pensarmos na história da colonização de nosso próprio país. Pode, em algum momento, ter sido parecida com a história de Pocahontas? Como pode ter sido a interação entre nativos e exploradores? Um livro sempre oferece a chance de fazermos várias viagens, aproveite.

Ao longo da tradução, intercalei a leitura do livro com pesquisas a respeito da história contada e também da história não contada da princesa índia. Como toda tradução possibilita, aprendi muito com as pesquisas, descobri coisas que talvez nunca descobrisse se não tivesse recebido mais esse presente da minha trajetória como tradutora. Mais uma vez, espero ter feito um trabalho digno da confiança da Wish. Espero que Pocahontas seja para os leitores como foi para mim: uma possibilidade de diversão e também de reflexão.

São Bernardo do Campo, setembro de 2019.

Referências

MANSKY, Jackie. "The true story of Pocahontas". Disponível em https://www. smithsonianmag.com/history/true-story-pocahontas-180962649/ (acessado em 09 de setembro de 2019.)

GARCÍA, Alma. *Women of Color in Popular Culture*. Reino Unido: Altamira Press, 2012.

Princesa

POCA
HON
TAS

Capítulo 1

O retorno dos Guerreiros

Pela floresta tomada pela neve vieram Opechanchanough[1] e seus bravos, caminhando tão silenciosamente quanto os flocos de neve caíam ao redor deles. De suas escápulas desciam chumaços de cabelos escalpelados que seus silenciosos donos Monachans[2] não ignoravam.

---

[1] Opechanchanough era um chefe tribal dentro da Confederação Powhatan. Seu nome significa "aquele cuja alma é branca". [N.E.]

[2] Tribo indígena do Estado de Virgínia. Eles eram concorrentes hostis à confederação Powhatan. [N.E.]

Mas Opechanchanough, a caminho de Werowoco-moco[3] para contar ao Chefe Powhatan a respeito da vitória conquistada sobre seus inimigos, não tinha certeza de que havia matado todo o grupo que ele e seus braços Pamunkey[4] tinham atacado. A neve inesperada, caindo no fim do inverno, tinha sido soprada pelo vento para dentro de seus olhos, então não sabiam ao certo se alguns Monachans tinham conseguido escapar da vingança. E tão próximos das tendas da tribo de seu irmão, como estavam, o inimigo poderia ter armado uma emboscada. Por isso era importante que eles permanecessem em guarda, olhando atrás de cada árvore para ver se havia pessoas agachadas e mantendo os ouvidos bem aguçados de modo que nem um esquilo pudesse quebrar uma noz sem que eles soubessem onde o animalzinho estava.

Opechanchanough liderava a fila comprida que abria caminho em meio ao espaço amplo entre os enormes carva-lhos, ainda cor-de-bronze com as folhas do ano passado. Ele manteve a cabeça erguida e para si repetia a letra da música de triunfo que pretendia cantar ao Chefe Powhatan, quando o líder dos Powhatans fosse chamado. E então, de repente, à frente de seu rosto, passou uma flecha.

Com um grito do líder, a fileira comprida se jogou para a direita, e cinquenta flechas vieram voando do norte – a direção de onde poderiam esperar o perigo. Mas o silêncio

---

3 Uma vila que servia como sede dos Powhatan quando os ingleses fundaram Jamestown em 1607. O nome Werowocomoco vem dos powhatan werowans, que significa "líder" em inglês. [N.E.]

4 Mais uma tribo indígena da Virgínia que, junto de outros grupos, formavam a supremacia Powhatan. [N.E.]

se manteve; não ouviram gritos de um inimigo escondido, nenhum sinal de outras criaturas humanas.

Opechanchanough perguntou a seus guerreiros de onde a flecha tinha vindo e, enquanto conversavam, outra flecha vinda da direita passou à frente de seu rosto.

— Um arqueiro ruim – resmungou ele —, que não consegue me acertar com duas tentativas. – Em seguida, apontando para um enorme carvalho que se bifurcava da metade para cima, ordenou:

— Peguem o inimigo!

Dois guerreiros correram em direção à árvore, para a qual todos olhavam fixamente agora. Era difícil distinguir algo em meio à neve que caía e à massa de flocos que havia se ajuntado na forquilha. Tudo estava branco ali, mas havia algo branco que se movimentou, e os dois bravos, ao alcançarem o tronco da árvore, gritaram animados e desdenhosos.

A figura de branco se movia depressa. Balançou-se em um galho e agarrou-se a outro mais alto, e parecia determinada a fugir de seus perseguidores até chegar ao topo da árvore. Mas os guerreiros não perderam tempo e subiram atrás dela. Saltavam como panteras. Agarraram-se ao galho e o balançaram com força para a frente e para trás, fazendo os pés da criatura escorregarem e ela acabar caindo em seus braços estendidos.

Não esperaram nem sequer para ver do que se tratava o monte de pelos brancos. Os guerreiros, cercados pelos companheiros curiosos, levaram a criatura a Opechanchanough e a colocaram no chão diante dele, que se ajoelhou e ergueu o capuz de pele de coelho que escondia-lhe o rosto. E então gritou, assustado e irado:

— Pocahontas! O que pretende pregando essa peça?

E o monte de pelos brancos, levantando-se, riu e riu até o guerreiro mais velho e sério não conseguir conter um sorriso. Mas Opechanchanough não sorriu – estava bravo demais. Sua dignidade estava ferida por ter sido alvo da piada de uma criança. Ele chacoalhou a sobrinha, dizendo:

— Perguntei o que pretende com isso. O que pretende?

Pocahontas parou de rir e respondeu:

— Queria ver com meus próprios olhos o tamanho da coragem que vocês têm, tio, e ver se são bons guerreiros quando um inimigo ataca. Não sou uma arqueira tão ruim. Só não atiraria em você, por isso mirei além de onde estavam. Mas foi divertido ficar sentada na árvore observando vocês pararem tão de repente.

Sua explicação fez com que a maior parte do grupo caísse na risada.

— Na verdade, o nome dela é bem adequado – eles disseram. — "Pocahontas" quer dizer "criança levada".

— Tenho outro nome – disse ela ao guerreiro velho mais próximo dela. — Sabe qual é? Matoaka, pequena pena de neve. Sempre que as luas de *popanow*[5] nos trazem neve, ela me chama para brincar. *"Vamos, Pena de Neve"*, diz a neve, *"venha correr comigo e me jogar para cima"*.

O tio já tinha recuperado a calma e estava prestes a começar a seguir em frente de novo. Virando-se para os dois que tinham capturado Pocahontas, ele disse:

---

5 Período que marca o Inverno, de acordo com o próprio John Smith sobre como os Powhatans marcavam o tempo. [N.T. e E.]

— Já que pegamos uma prisioneira, vamos levá-la ao Chefe Powhatan para que ele a julgue. Se tivéssemos atirado de volta em direção à árvore, ela poderia ter morrido. Não deixem que ela escape.

E então, ele seguiu em frente em meio à floresta, sem dar mais atenção à Pocahontas.

Os jovens bravos olharam com timidez um para o outro e para sua cativa, não muito satisfeitos com a tarefa. Uma ordem de Opechanchanough não podia ser desobedecida, mas não era fácil segurar uma jovem moça contra sua vontade, e não poderiam usar – ou *tentar* usar – de força contra uma filha do poderoso cacique.

Ao notar a hesitação deles, Pocahontas começou a correr para a esquerda, e eles foram atrás dela. Conseguiram alcançá-la antes que ela percorresse a distância de três flechadas, e a levaram, com delicadeza, de volta para à fila. Ela caminhou tranquilamente ao lado deles como se não notasse suas presenças, até eles se distraírem, acreditando que ela havia se conformado com a situação, para então fugir pela direita – e de novo foi capturada e levada de volta. Ela sabia que eles não ousariam prendê-la, e tirou vantagem disso para envolvê-los em uma dança, primeiro correndo para um lado e depois para o outro. Atrás deles, os companheiros gritavam e riam sempre que a moça fugia.

A ordem normal do grupo não estava mais sendo preservada enquanto avançavam. Eles tinham passado do ponto onde não havia mais nenhuma possibilidade ou perigo de ataque hostil. Werowocomoco estava agora a uma curta distância; a fumaça vinda da tribo já podia ser vista nos campos que cercavam a tribo de Powhatan. Os guerreiros mais velhos andavam em grupos, falando sobre seus feitos naquele dia e elogiando os feitos de vários dos bravos jovens que tinham lutado pela primeira vez. Pocahontas e seus captores agora seguiam bem mais atrás.

Apesar de satisfeita com os resultados de sua empreitada e diversão, Pocahontas não queria ser levada para dentro da casa como uma cativa, ainda que fosse meio de brincadeira. Seu pai talvez não achasse tão engraçado e, além disso, ela não gostava de ser contrariada. Estava tão pensativa que se esqueceu de continuar a brincadeira e continuou caminhando, acompanhando as passadas mais compridas dos guerreiros, apressando os passos de vez em quando. Os rapazes, pensando muito na primeira campanha, levavam sempre a mão às mechas escalpeladas com carinho, e prestavam pouca atenção a ela.

Ela parou como se fosse ajeitar o mocassim, e então, como eles seguiram andando um pouco até pararem para esperá-la, ela se mandou como um raio e escorregou para dentro de um buraco antes que eles reagissem e fossem atrás dela.

Já estava quase escuro e seus pelos brancos não podiam ser distinguidos da neve. Antes que eles descessem pela mesma abertura, Pocahontas, que conhecia cada centímetro do chão que era menos familiar aos homens da tribo de seu tio, já tinha voltado para a floresta cercada pelos campos nos quais seus perseguidores agora corriam, e pôde se perder na escuridão.

Opechanchanough não soube dessa fuga. Ele pretendia explicar a seu irmão que uma criança poderia fazer travessuras se não fosse mantida em casa realizando tarefas domésticas em sua oca. E não importava se Pocahontas era ou não a filha preferida de Powhatan, pois deveria esperar do lado de fora da cabana do pai até que ele relatasse o ocorrido e falasse sobre os feitos gloriosos realizados por seus Pamunkeys.

Agora, eles tinham chegado a Werowocomoco, e o barulho dos gritos e dos tambores de guerra fez com que os moradores saíssem de suas tendas. Como os Pamunkeys eram uma tribo aliada, a causa deles contra um inimigo comum era a mesma, mas a alegria da vitória contra os Monachans era menor do que teria sido se os vencedores fossem Powhatans. No entanto, Opechanchanough e seus guerreiros não podiam reclamar da recepção oferecida, e os homens da frente partiram para avisar Powhatan da chegada deles enquanto todos os moradores da tribo se reuniam ao redor deles – os homens questionando e os meninos tocando as mechas, comentando quantas eles teriam na escápula quando crescessem.

O grande cacique não estava em sua cabana, mas em uma na qual ele apenas dormia e comia quando estava em Werowocomoco. Opechanchanough parou na entrada da tenda e ordenou:

— Quando eu chamar, tragam Pocahontas, e veremos o que o Chefe Powhatan pensa de uma menina mimada que atira flechas em guerreiros.

A tenda estava quase escura quando ele entrou. Diante do fogo no centro, ele conseguiu ver seu irmão Powhatan sentado, ladeado por cada uma das esposas. Então, reconheceu os traços de seu sobrinho Nautauquas e a irmã mais nova de Pocahontas, Cleopatra. Era evidente que eles tinham acabado de jantar, e os cães atrás deles roíam os ossos de peru que lhes tinham sido jogados. Aos pés do Chefe Powhatan, havia uma criança agachada com roupa escura, o rosto à sombra.

Powhatan cumprimentou seu irmão com seriedade e fez sinal para que ele se sentasse. A tenda logo ficou cheia com guerreiros próximos uns dos outros, e perto da entrada se aglomeraram todos os que puderam, e estes repetiram aos homens e às mulheres índias do lado de fora as palavras que eram ditas lá dentro.

Orgulhosamente, Opechanchanough começou a contar que tinha seguido os Monachans a um monte acima do rio, e que ele e seu grupo de guerra os tinham atacado, fazendo-os rolar ladeira abaixo, matando e escalpelando, chegando a nadar na água gelada para pegar aqueles que tentavam fugir. E o Chefe Powhatan assentia aprovando, murmurando de vez em quando uma palavra elogiosa. Quando Opechanchanough terminou seu relato, o xamã – ou curandeiro – se levantou e entoou uma canção de louvor aos bravos Pamunkeys, irmãos dos Powhatans.

Depois, um a um, os guerreiros de Opechanchanough contaram sobre suas explorações pessoais.

— Eu – disse um —, eu, o Lobo da Floresta, devorei meu inimigo. Muitos sóis devem se pôr vermelhos entre as árvores da floresta, mas nenhum tão vermelho quanto o sangue que jorrou quando minha faca afiada escalpelou o inimigo.

E conforme cada um contava seus feitos, as palavras eram recebidas com salvas de palmas e gritos de incentivo.

Powhatan deu ordens para abrir a tenda de visitas e preparar um banquete para os visitantes. Então, Opechanchanough se levantou de novo para falar. Quando terminou outra canção de triunfo, virou-se para Powhatan e perguntou:

— Irmão, há quanto tempo seus guerreiros estão dentro das tendas, deixando às jovens índias a tarefa de sentinelas que não conseguem distinguir amigos de inimigos?

Powhatan olhou para o homem, assustado.

— O que quer dizer com palavras tão estranhas? – perguntou o cacique.

— Enquanto voltávamos pela floresta – explicou Opechanchanough —, antes de chegarmos ao fim dos campos, quando ainda acreditávamos que uma parte dos Monachans podia estar armando uma emboscada para nós ali, uma flecha, vinda do oeste, passou diante de meu rosto. Em seguida, veio uma segunda flecha, dos galhos de um carvalho. Pegamos quem estava atirando com o arco, e o senhor consegue imaginar quem encontramos? Uma menina índia!

— Uma menina índia! – repetiu o Chefe Powhatan, surpreso. — Era de nossa tribo?

— Sim, irmão. Eu estou com ela aqui fora, para que você possa pronunciar seu julgamento sobre alguém que colocou em risco, com o que fez, a vida de seu irmão, esquecendo-se que não é um garoto. Tragam a prisioneira – disse ele, dando ordem.

Mas ninguém apareceu. Os jovens bravos que tinham a tarefa de conter Pocahontas se mantiveram atrás da multidão, espertos que eram.

Então, a pequena figura aos pés de Powhatan se levantou e ficou de pé com a luz do fogo iluminando seu rosto e os cabelos pretos, e perguntou com a voz delicada:

— O senhor me chamou, meu tio?

— Pocahontas! – exclamou Opechanchanough. — Como pôde chegar aqui antes de nós, e com essa roupa preta?

— Pocahontas consegue correr melhor ainda do que consegue atirar, tio, e trocar de roupa é algo que demora poucos instantes.

— Por que fez o que fez, Matoaka? – perguntou o Chefe Powhatan, usando o apelido especial dela, que significava Pequena Pena de Neve. Ele falava com a voz baixa, mas tão séria que Cleopatra estremeceu e ficou feliz por não ser a culpada.

— Foi só uma brincadeira, meu pai – respondeu Pocahontas. — Eu não queria ferir ninguém. – Ela abaixou a cabeça e esperou até poder falar de novo.

— Não aceito brincadeiras desse tipo em minha terra – disse ele, irado. — Lembre-se disso.

Com um gesto da mão e uma ordem sussurrada, ele mandou os guerreiros Pamunkey para a tenda de visitas. Opechanchanough, ainda com raiva da situação ridícula à qual uma criança o havia submetido, permaneceu para perguntar:

— Não vai puni-la?

— Claro que vou – respondeu Powhatan. — Quero que vocês todos fiquem na tenda de visitas, e logo estarei lá. Vá, Nautauquas, e leve meu cachimbo para lá.

Naquele momento, eles estavam sozinhos na tenda: o grande cacique de mais de trinta tribos e sua filha, que ainda mantinha a cabeça baixa. Chefe Powhatan olhou para ela com curiosidade. Ela esperou até que ele falasse, mas como ele ficou quieto, ela se virou e olhou diretamente em seu rosto, perguntando:

— Pai, o senhor sabe como é difícil ser garota? Nautauquas, meu irmão, corre depressa, mas eu corro mais rápido do que ele. Consigo atirar tão reto quanto ele, ainda que não tão longe. Consigo ficar sem comer e sem beber tanto tempo quanto ele. Consigo dançar sem me cansar, sendo que ele fica ofegante. Mas ainda assim, Nautauquas será um grande guerreiro e eu – ouço me lembrarem de que sou uma garota. Não é difícil, meu pai? Por que, então, me deu braços e pernas fortes, além de um espírito que não se aquieta? Não me culpe, meu pai, porque preciso rir, correr e brincar.

Enquanto ela falava, caiu de joelhos e abraçou os pés dele; e quando parou de falar, sorriu destemida, olhando no rosto do pai.

Chefe Powhatan tentou não se emocionar com o pedido da menina. Mas ele era um cacique que sempre repreendia quem fazia coisas erradas e dava desculpas para tais erros, e julgava as pessoas de modo justo, ainda que, às vezes, duro. Ele gostava tanto daquela filha quanto o calor do verão gostava da correnteza. Se, às vezes, a água espirrasse alto demais, como poderia se enfurecer?

E Pocahontas, ao ver que a raiva dele já tinha passado, ficou de pé e apoiou a cabeça em seu braço. Ninguém precisava dizer a ela que o poderoso Powhatan não amava esposa, nem nenhum filho tanto quanto a amava. Em seguida, ele acariciou seus cabelos e rosto macios, e ela soube que tinha sido perdoada.

— Seu tio está muito bravo – disse ele.

— O senhor tinha que ter visto a cara dele, pai, quando a flecha passou – disse ela, rindo ao se lembrar.

— Prometi punir você.

— Sim, o senhor vai me punir. – Mas ela não disse aquilo com medo.

— Escute bem o que direi – disse ele, fingindo seriedade. — Você deve bordar para mim, com suas próprias mãos e não com agulhas de índia, um manto de pele de guaxinim com penas e conchinhas bonitas.

Pocahontas riu.

— Isso não é punição. É estranho, mas quando faço coisas de que não gosto para as pessoas que amo, sinto prazer em fazê-las. Farei para o senhor um manto como o senhor nunca viu. Ah! Vai ser lindo. Farei novos desenhos como nenhuma outra índia sonhou em fazer. Mas o senhor nunca ficará bravo comigo, não é? – ela suplicou. — E se, em algum momento, eu fizer algo que desagrade ao senhor... Se puder vestir o manto que eu farei, permita que ele seja um símbolo entre nós, e que quando eu tocá-lo, o senhor me perdoe e me conceda o que peço.

Powhatan prometeu e sorriu para ela antes de partir em direção à tenda de visitas.

Capítulo 2

Pocahontas e o curandeiro

Alguns meses depois, veio um dia quente como os que às vezes ocorrem no início da primavera. O sol brilhava com quase tanto vigor quanto as carreiras de milho que brotam do chão, como se plantadas com o cumprimento de antigos rituais e danças sagradas. Folhinhas reluziam como escamas de peixe, enquanto se abriam delicadamente nas nogueiras e caquizeiros perto de Werowocomoco, e na floresta, o chão estava coberto de flores. As crianças as pregavam umas às outras e as jogavam como bolas de um lado a outro ou as amarravam formando grinaldas para os cabelos. As índias mais velhas procuravam raízes e folhas entre elas para fazer tinta a fim de tingir os tecidos que teciam.

Os meninos brincavam de caçadores, fingindo que seus cães eram feras selvagens, mas os ursos e lobos nem sempre entendiam os papéis direcionados a eles e pulavam felizes em cima de seus donos em vez de encará-los com feracidade. Os bravos anciães se deitavam diante de suas cabanas, muitos deles à toa ao sol, outros ocupavam-se fazendo setas, prendendo cabos a facas de pedra ou tecendo redes de pescar camarão. Dois escravos, trazidos por um grupo de guerra, estavam abrindo um buraco, que os Powhatans usavam em vez de canoas de casca de vidoeiro, preferidas por outras tribos. Eles tinham derrubado um carvalho que, a julgar pelos anéis no casco, provavelmente tinha sido uma bolota quando Powhatan era um indiozinho, setenta anos antes. Eles tinham queimado uma parte do casco de dentro e de fora e agora miravam no centro da madeira com machados de obsidianas afiados.

As mulheres índias também se ocupavam ao ar livre, apesar de elas conversarem em grupos com animação, como se toda sua energia se concentrasse apenas em suas línguas. Muitas estavam arranhando pele de veado para amaciá-la antes de cortá-la em abrigos para elas ou em mocassins para os homens. Aqui e ali, fumaças discretas que pareciam vir de baixo da terra mostravam que o jantar estava sendo feito sobre pedras aquecidas.

Pocahontas estava sentada à base de um pequeno monte que dava vista para o vilarejo. Por ser filha do cacique, era apenas em ocasiões especiais e como convidada de honra que ela se unia aos grupos de mulheres ou mocinhas conversando diante das tendas. Mas ela não se encontrava sozinha agora. Pocahontas estava acostumada a se cercar, quando desejava companhia, com várias meninas pequenas da tribo que a obedeciam, menos por ela ser filha do temido líder da tribo, ou *werowance*, do que por ela ter um jeito agradável de fazer com que fizessem o que ela queria, o que tornava difícil contrariá-la. Cleopatra, sua irmã mais nova, estava sentada ao lado dela, tentando fazer com que um esquilo, que estava em um galho acima delas, descesse para comer milho de suas mãos.

Em cima das pernas de Pocahontas havia um abrigo de pele de guaxinim, macia, pintada com uma borda ampla. Nessa borda, ela estava fazendo um bordado muito complexo com contas brancas feitas de conchas. Havia um cesto de corda ao lado dela cheio de mais contas, grandes e pequenas, brancas, vermelhas, amarelas e azuis.

— O que esse desenho significa, Pocahontas? – perguntou a menina mais próxima dela. — Como é diferente de todos os outros que nossas mães já fizeram, ele deve ter um significado em sua mente.

— Sim – assentiu Pocahontas —, é diferente de todos os desenhos porque meu pai é diferente de todos os líderes. Significa isto que vou cantar: "*Powhatan é um cacique poderoso, até onde o céu é azulado, até onde o carvalho é curvado, seu nome deve ser espalhado*". Veja, essa linha é para o rio, esta reta é o carvalho e esta comprida toda encaracolada é o céu. Fiz isso para o meu pai porque sinto muito orgulho dele.

— Mas, Pocahontas, por que – perguntou outra de suas amigas — você não usa mais das contas vermelhas? Elas parecem o fogo, o sangue de um inimigo. Por que você usa mais a branca?

Pocahontas segurou a agulha de osso parada por um momento e seu rosto parecia confuso.

— Não sei responder direito, Olho de Cervo, já que nem eu mesma sei. Adoro as contas brancas, pois gosto muito de usar um abrigo branco, ou um casaco de pele de coelho no inverno. Na mata, eu sempre pego as flores brancas, e adoro os pombos selvagens brancos acima de qualquer outro pássaro, exceto da gaivota branca. E das nuvens brancas e macias lá no alto do céu eu gosto mais do que as vermelhas e amarelas de quando o sol se põe para adormecer no poente. Mas, apesar disso, não sei explicar o motivo.

Conforme o meio do dia se aproximava, o dia foi ficando mais quente, e os dedos se cansavam do trabalho. Mais adiante no vilarejo, os homens tinham interrompido as atividades e estavam deitados no lado tomado pela sombra das tendas; apenas as índias que preparavam o jantar ainda estavam ocupadas.

— Vamos à cachoeira – disse Pocahontas, erguendo-se de repente. — Cada uma de vocês deve ir pegar comida com sua mãe e voltar correndo para cá. Vou guardar meu trabalho e esperar por vocês aqui.

As moças desceram a ladeira correndo enquanto Pocahontas e Cleopatra levavam o abrigo e o cesto para sua tenda. Então, alguns minutos depois, suas companheiras voltaram e todas começaram a rir enquanto atravessavam a mata.

— Venha – disse Pocahontas para ela —, por que está parada aí, sua preguiçosa?

— Não vou entrar. A água está fria demais.

Cleopatra estava prestes a vestir a saia de novo quando a irmã atravessou o riacho até ela e meio a empurrou, meio a puxou para dentro d'água, e então, as pedras – em parte – submergiram. Ouviu-se muitos gritos e vozes, pés escorregando nas pedras para dentro e fora da água para outra vez voltar às pedras. A água estava agora agradável e o jantar que esperava por elas foi esquecido no prazer do primeiro banho de rio da estação.

Olho de Cervo, ao tentar voltar para a rocha, segurou o pé de Cleopatra, que escorregou na superfície lodosa e caiu de costas na água, batendo a cabeça na ponta afiada. Ela perdeu consciência e afundou.

Um pouco antes de ela desaparecer dentro do rio, Pocahontas partiu atrás dela, e procurando na areia fina do fundo, conseguiu encontrar a irmã e puxá-la para a superfície.

Então, com a ajuda das moças assustadas, ela a levou à barranca, o sangue jorrando abundantemente de um corte na cabeça. Depois de tentar estancar a ferida com limo em vão, Pocahontas deu a ordem:

— Depressa, como se os iroqueses estivessem vindo, e cortem alguns galhos grossos.

Elas obedeceram, vestindo as saias depressa. Com as facas de pedra, cortaram vários galhos e os amarraram, uns nos outros, com tiras de tecido que elas arrancaram de suas vestes. Em cima delas, elas colocaram galhos frondosos e ergueram Cleopatra, inconsciente, em cima deles, naquela maca improvisada. Apesar de suas objeções, Pocahontas insistiu em segurar uma das pontas da maca, e as duas moças mais fortes do grupo seguraram a outra.

Pela mata, elas caminharam, tão silenciosas agora quanto tinham sido ruidosas antes, mas Pocahontas achava que seus batimentos cardíacos estavam tão altos quanto os tambores de guerra dos Pamunkey.

Elas ainda estavam a alguns minutos do vilarejo quando viram Pochins, um curandeiro famoso entre muitas tribos por seu poderoso *manitou* – seu espírito guardião – que permitiu que ele se comunicasse com os *manitous* do mundo espiritual.

— Pochins, ó, Pochins – gritou Pocahontas —, venha nos ajudar. Receio que minha irmã esteja morrendo, e que eu a tenha matado. Ela não desejava entrar na água, Pochins, e eu a puxei para entrar, e agora ela está com um corte na cabeça, o sangue escorre de um jeito que não consigo estancar.

O xamã não respondeu, mas se abaixou e olhou para a ferida com atenção, então ele segurou a ponta da maca da mão de Pocahontas, dizendo:

— Vou levá-la à minha cabana de oração, perto daqui.

Mesmo entre as árvores, elas viram a madeira da cabana, na qual poucas pessoas tinham entrado. As moças estremeceram quando a viram, sem saber dos terrores misteriosos que podiam existir à espera delas ali. Mesmo assim, elas seguiram Pochins enquanto ele levava Cleopatra para dentro e a deitava no chão. De uma tigela de barro, ele pegou algumas ervas e colocou as folhas, depois de umedecê-las, sobre as feridas. Em pouco tempo, Pocahontas, agachando-se ao lado da irmã, viu que o sangue tinha deixado de escorrer. Mas nenhum sinal de vida foi detectado no pequeno corpo deitado ali. As mãos e os pés estavam úmidos, e apesar de Pocahontas esfregá-los vigorosamente, não conseguia sentir calor vindo deles.

Mas o xamã não prestou mais atenção a ela. De outra tigela, ele tirou uma cabaça, e de um prendedor de um dos suportes redondos no teto, ele pegou uma máscara pintada de vermelho, que ele colocou sobre o rosto. Então, acenando para que as meninas se afastassem, ele começou a dançar ao redor das duas irmãs e a entoar com a voz alta, balançando o chocalho até parecer que o barulho pudesse despertar um morto.

— Meu remédio é um remédio poderoso – disse ele com sua voz natural a Pocahontas. — Espere um pouco e verá as maravilhas que ele consegue fazer.

E, de fato, poucos instantes depois, Pocahontas sentiu a pulsação começar no braço de sua irmã, viu suas pálpebras tremerem e sentiu os pés ficarem quentes. E quando os gritos e o som do chocalho ficaram ainda mais altos e ainda mais assustadores, Cleopatra abriu os olhos e olhou para ela, surpresa.

— O poder de fato é o remédio, a magia, do Pochins – gritou o xamã, com orgulho, quando deixou de lado a máscara e o chocalho — e trouxe essa moça de volta dos mortos.

Pocahontas agora tinha que acalmar a criança, aterrorizada pelas imagens que tinha visto e os sons que tinha ouvido. Ela deu um tapinha nos braços dela e falou com ela como se fosse um bebê índio em suas costas:

— Não tema, pequena, nenhum mal vai te atingir. Pocahontas cuida de você. Ela não vai fechar os olhos enquanto o perigo sondar. Não tema, pequena.

E Cleopatra se agarrou a ela, com uma sensação de segurança na coragem da irmã.

Nesse momento, as notícias do acidente tinham se espalhado pelo vilarejo e diversas mulheres índias, lideradas pela mãe de Cleopatra, apareceram correndo, vindas da cabana de Pochins. Ao ver que Cleopatra estava conseguindo se levantar, elas a levaram de volta com elas. As outras mulheres, agora que a comoção tinha passado, lembraram-se do estômago vazio e correram para recuperar o jantar que tinham deixado para trás, na cachoeira.

Pocahontas não foi com elas. Ela ainda permaneceu no chão sentada ao lado do curandeiro, enquanto este se ocupava em pintar a máscara onde as cores tinham desbotado.

— Xamã – disse ela —, para onde foi o *manitou* de minha irmã enquanto ela estava ali, morta?

— Em uma viagem distante – respondeu ele —, por isso eu tive que chamar alto para fazer com que ele me escutasse e voltasse.

— Quem ensinou ao senhor esse remédio? – perguntou ela, de novo.

— O Castor, meu *manitou*, filha de Powhatan – respondeu ele.

— E então, quem vai me ensinar? Como vou aprender?

— Você não precisa saber isso, já que não é curandeiro nem guerreiro. Eu, Pochins, pedirei a Okee, o Grande Espírito, por você quando tiver que aprender o que quer que seja, quando precisar de comida, de roupa ou de um líder que a leve a sua cabana.

— Mas eu queria fazer isso sozinha, Pochins – respondeu ela. — Você não sabe quantas coisas quero fazer sozinha. Quero pegar sua máscara e seu chocalho para ver como são.

— Não, não, não toque neles! – gritou ele, estendendo a mão. — O Castor ficaria bravo conosco e jogaria uma maldição em nós.

Pochins não gostava de crianças. Sua indiferença era tão grande que ele nem sequer as notava quando caminhava pelo vilarejo. Mas o olhar intenso de Pocahontas parecia tirar palavras dele. Ele começou a falar para ela dos muitos dias e das muitas noites que tinha passado sozinho, jejuando, na cabana da oração até uma mensagem chegar a ele vinda de Okee – uma mensagem sobre a colheita ou o sucesso de uma equipe de caça. Pocahontas estava tão interessada que fez muitas perguntas.

— Conte-me de Michabo. Michabo, a Grande Lebre – disse ela ao se posicionar em uma esteira que Pochins tinha estendido para ela.

— Escute, então, filha dos Powhatan – começou ele, com a voz mudando, deixando seu tom natural e parecendo entoar um cântico —, sobre a história de Michabo como é contada nas cabanas dos Powhatan, dos Delaware e daquelas tribos que vivem longe, além de nossas florestas, onde bate o Vento do Oeste e onde o Sol segue em direção à escuridão.

"Michabo mergulhou na água onde não havia terra nem animal e nenhum homem ou mulher, onde ele estava sozinho. Do fundo, ele pegou um grão de areia fino e branco e o levou com segurança, em sua mão, em seu caminho para a superfície, em meio às águas escuras. Ele o jogou sobre as ondas e ele afundou em vez de flutuar como uma folhinha. Então, ele se espalhou, rodando sem parar – e se abrindo de um jeito amplo como os círculos formados no espelho d'agua, quando uma pedra é lançada no lago parado – até ficar tão grande que um lobo jovem e ágil, por mais que corresse até envelhecer, não alcançasse seu fim. Essa terra se ergueu toda coberta com árvores, montes, feras, homens e mulheres, e Michabo, a Grande Lebre, o Espírito de Luz, o Grande Branco, caçava nas florestas da terra e fazia redes fortes para pesca e ensinava os tolos, que de nada sabiam, a caçar e a pescar, para que eles não morressem de fome.

"Mas Michabo tinha feitos mais importantes do que matar o veado gordo na rede do salmão. Seu pai era o poderoso Vento Oeste, Ningabiun, e ele tinha assassinado sua esposa, a mãe de Michabo. Então, quando a avó de Michabo havia contado a ele sobre as más atitudes de seu pai, Michabo se levantou e gritou aos quatro cantos do mundo: '"Agora parto para matar o Vento Oeste e vingar a morte de minha mãe'.

"Por fim, ele encontrou Ningabiun no topo de uma montanha alta, sem fôlego e com o cocar sendo agitado pelo vento. A princípio, eles conversaram de forma pacífica e Vento Oeste disse a Michabo que apenas uma coisa em todo o mundo poderia prejudicá-lo – a rocha negra.

"'Foi ela a causa da morte de minha mãe?', perguntou Michabo, com os olhos brilhando, e Ningabiun calmamente respondeu: 'Sim'.

"Então, Michabo, furioso, pegou um pedaço de rocha negra e acertou Ningabiun com toda a força. Isso foi um conflito terrível, como nunca aconteceu desde então; a terra tremeu e os raios iluminaram as laterais da montanha. A força de Michabo foi tamanha que Vento Oeste foi jogado para trás. Sobre montanhas e lagos, Michabo o levou a atravessar rios amplos, até os dois chegarem à beira do mundo. Ningabiun temia que seu filho o empurrasse, e gritou:

'Calma, meu filho, você não conhece meu poder e isso não consegue me matar. Desista e darei a você o mesmo poder que dei a seus irmãos. Os quatro cantos do mundo são deles, mas você pode fazer mais do que eles se ajudar as pessoas da terra. Vá fazer o bem, e sua fama durará para sempre'.

"Então, Michabo desistiu da batalha e foi ajudar nossos antepassados na caça, no conselho e na casa de oração; mas até hoje, grandes penhascos de rocha negra aparecem onde Michabo brigou com o pai, Vento Oeste".

Capítulo 3

Meia-noite na floresta

Nautauquas, filho de Powhatan, estava voltando à noite, pela floresta, em direção a seu casebre em Werowocomoco. No ombro, carregava o veado que ele tinha partido para matar. Sua mãe dissera:

— Suas calças estão velhas e desgastadas, e você sabe que a boa sorte ocorre ao caçador que usa calças e sapatos feitos com a pele de suas presas. Vá caçar um veado para que eu possa amaciar a pele dele para fazer uma calça para você.

Assim, Nautauquas pegou o arco e um conjunto de flechas, e enquanto Pocahontas e Cleopatra estavam na cachoeira, ele procurou um lago cuja superfície não estivesse coberta por flores d'água fragrantes e se escondeu atrás de um arbusto, esperando pacientemente até uma presa descer à barranca para beber água. Ele usou apenas uma flecha, que foi parar entre os chifres amplos e grandes; em seguida, o caçador entrou no lago, afastando as flores, e com um corte de faca, pôs fim à luta do animal. Agora, ele o levava para casa e pensava, com vontade, na carne deliciosa que ele teria no dia seguinte. Sem dúvida ele teria apetite suficiente para isso, já que não tinha comido nada durante o dia todo. Teria sido bem fácil para ele matar um esquilo e assá-lo, mas Nautauquas, sabendo que fazia parte do treinamento de um guerreiro acostumar-se com a fome, com frequência fazia jejuns compridos voluntariamente.

A noite estava escura, mas agora que a lua estava alta, feixes compridos de luz iluminavam os caminhos da floresta, geralmente, sem matagal naquelas épocas. Nautauquas, olhando para a lua em meio aos galhos, pensou se tratar das índias do sol e se lembrou das histórias que as senhoras gostavam de contar a esse respeito.

De repente, a sua frente, ele viu uma criatura dançando pelo caminho iluminado pelo luar, remexendo-se e girando enquanto dois coelhos, que atravessaram assustados, correram na direção de tufos de sassafrás perto dali. Então, como se tivessem sido acalmados, eles se sentaram ali, calmos, mesmo quando a pessoa que dançava se aproximou. E Nautauquas escutou uma cantoria, apesar de a letra da música não chegar a seus ouvidos. Ele se posicionou atrás de um carvalho e observou a pessoa que dançava avançar. Com a aproximação, ele descobriu se tratar de uma jovem; vestida apenas com uma saia de camurça branca, cobrindo parcialmente suas pernas morenas e firmes, e um colar de conchas brancas que tilintavam enquanto ela se remexia. Nos galhos altos, alguns esquilos, despertados de seu torpor, endireitaram as caudas peludas e começaram a emitir ruídos, e uma coruja piou. Havia algo familiar nos contornos, e Nautauquas estava totalmente fascinado quando, ao se virar, ele viu o rosto de Pocahontas.

— Matoaka – gritou ele, saindo das sombras —, o que você faz sozinha aqui à noite?

Sua irmã não gritou nem se sobressaltou com a interrupção repentina. Segurou a mão do irmão e a pressionou com delicadeza.

— A noite está tão linda, Nautauquas – respondeu ela —, que não consegui ficar deitada à espera do sono na cabana. Venho aqui com frequência.

— E você não sente medo, minha irmãzinha? – perguntou ele, carinhosamente. — Não teme os animais selvagens nem nossos inimigos?

— Animais selvagens não me ferirão. Acariciei uma mãe ursa com filhotinhos, certa noite, e ela nem sequer rosnou.

Nautauquas não duvidava do que ela dizia. Sabia que as feras não ferem certos tipos de seres humanos.

— E os inimigos – ela continuou — não se arriscariam tão perto do vilarejo do poderoso Powhatan.

— Eu te escutei cantando, pequena Pena Branca. Que canção era?

— Eu a compus muitas luas atrás – respondeu ela — e eu a canto sempre quando danço aqui à noite. Escute, você

50 | VIRGINIA WATSON

precisa ouvir a canção que Matoaka, filha de Powhatan, fez para cantar nas matas perto de Werowocomoco.

E ela dançou lentamente, imitando com cabeça e mãos, corpo e pés, as palavras de sua canção.

Eu sou a irmã do Vento da Manhã,
Ele e eu acordamos o Sol preguiçoso.
Despertamos os pássaros adormecidos,
E sopramos nosso riso nos ouvidos dos coelhos
E curvamos as mudas até elas beijarem meus pés,
E a grama alta até ela fazer reverência.
Sou a irmã do Feixe de Luar
Que me chama quando eu adormeço: Venha, veja como eu
tingi o mundo de branco.
Sua voz é tão baixa que ninguém mais consegue ouvir.
E eu saí da cabana de meu pai,
E no mundo estamos acordados apenas eu
E os ursos e onças e o guaxinim
E o veado lá fora cujos olhos observam as almas
De donzelas que morreram antes de conhecerem o amor.
E então, o mundo diminuímos com nossos pés
Que não despertam ecos, mas a coruja
Pia e faz pensar que com nossa velocidade sem asas
Não supera a dos moradores das árvores.

Quando ela terminou, jogou-se aos pés dele, perguntando:

— Gostou da minha canção, meu irmão?

— Sim, é uma canção nova, Matoaka, e um dia você deve cantá-la a nosso pai. Mas me parece que você é diferente das outras moças. Elas não se dão ao trabalho de sair de suas esteiras para sair sozinhas pela floresta.

— Talvez elas não tenham uma flecha no peito como eu.

Nautauquas havia se sentado na junção de um corniso e olhava interessado para a irmã, abaixo dele.

— Uma flecha? – perguntou ele. — O que quer dizer?

— Eu acho – respondeu ela, falando lentamente — que dentro de mim existe uma flecha, não de madeira e de pedra, mas de *manitou*. Como posso explicar isso a você? Devo percorrer distâncias para obter feitos. Sou atirada por um arco e não posso hesitar. Eu sei – disse ela, tocando o arco nas costas dele — como sua flecha fica depois que você a faz com cuidado, com madeira forte e ajeita sua ponta. Ela diz a si mesma: *"Estou feliz aqui, apoiada na cama quente das costas de Nautauquas"*. E quando você a pega e a encaixa no ponto certo do arco, ela grita: *"Agora serei atirada; agora cortarei o vento. Agora vou percorrer o espaço que nenhuma flecha já percorreu antes; agora alcançarei aquilo para que fui feita!"*.

— Que pensamentos estranhos, irmãzinha, estranhos para uma moça pensar. – E Nautauquas acariciou a trança comprida sobre seu joelho.

— Estou muito feliz, Nautauquas – ela continuou. — Adoro a cabana quente, o fogo no centro, a fumaça subindo encaracolada em direção às estrelas que consigo ver pela abertura acima de mim. Adoro sentir os pezinhos de Cleopatra tocando minha cabeça enquanto estamos deitadas. Mas então, sinto a flecha dentro de mim e me levanto em silêncio e saio. E se os cães me ouvem, sussurro a eles e me deito em silêncio de novo. Eu amo Werowocomoco, mas também desejo ir além do vilarejo, para onde o céu toca a terra. Adoro as histórias de feras que as velhas índias contam, mas quero ouvir os bravos quando eles falam de guerra e emboscadas. A primavera e a colheita do milho são épocas muito felizes, mas eu fico ansiosa à espera do abrir do milho e da queda da folha.

A moça falou com intensidade. Ela nunca tinha falado dessa forma com ninguém. Parou por um momento e não se ouviu nada além do pio da coruja. Então, ela se virou e se ajoelhou, com os cotovelos sobre os joelhos de seu irmão, e perguntou:

— Diga-me, Nautauquas, diga-me a verdade, já que você não pode dizer nada além; que *manitou* está dentro de mim que me faz querer correr para a água, para um riacho que corre sem parar? O que posso me tornar?

— Algo grande, Matoaka – respondeu ele. — Não sei se uma guerreira, uma princesa que pode ter muitas tribos sob seu controle, ou uma profetiza; mas tenho certeza de que a flecha de seu *manitou* deve servir para uma boa briga.

— Ah! – ela respirou profundamente. — Agradeço a você pelas palavras, Nautauquas meu irmão, e por não ter rido de mim.

— Por que alguém riria de você? Não é estranho que o álamo estremeça quando o vento sopra, ou que você seja afligida pelo espírito que está dentro de você, Matoaka. Um dia...

Ele foi interrompido por um grito estridente das profundezas da floresta. E se ergueu, todo o torpor de sua atitude e de seu humor tinha desaparecido; ele tirou uma flecha das costas e a encaixou no arco, pronto para lançá-la. Ele se perguntava se era possível que um grupo de inimigos tivesse chegado tão perto da fortaleza dos Powhatan sem ter sido impedido em outros vilarejos pertencentes a seu povo. Pocahontas também estava de pé, com a cabeça inclinada, ouvindo com atenção.

Mais uma vez, veio o grito, e então Nautauquas abaixou o arco, dizendo:

— Isso não é um grito humano. É o grito de uma fera com dor. Vamos ver o que é.

Eles correram depressa em direção ao ponto de onde vinha o som. Mais uma vez, veio o grito para guiá-los, e então fez-se silêncio enquanto eles corriam sob o luar que formava caminhos enxadrezados por causa das sombras das árvores.

Nautauquas parou de repente, mas tão de repente que Pocahontas atrás dele não conseguiu parar depressa o suficiente, e bateu contra ele, quase derrubando ambos em uma ravina lá embaixo, mas Nautauquas a segurou no último instante.

— É aqui embaixo – ele apontou. — Deve ser uma armadilha, eu acho. Vamos descer com muito cuidado.

Eles desceram pela escuridão formada por galhos e rochas. No fundo, a luz não estava menos intensa, e eles viram o corpo listrado de um grande gato-selvagem preso em uma armadilha.

— Veja – gritou Pocahontas, animada —, tem outra fera bem ali naqueles arbustos. Nossa chegada deve tê-lo assustado. Ele está tentando matar aquele da armadilha, que não consegue se defender.

— Isso mesmo – assentiu Nautauquas, preparando-se para atirar na fera que estava em liberdade, para evitar que ela os atacasse. Mas evidentemente, o animal não estava interessado em interagir com seres humanos naquela noite, e ele partiu pela lateral da ravina. Eles conseguiram ver que o animal preso estava sangrando de uma grande ferida nas costas, e ao luar, seus olhos brilhavam como fogo.

— Pobre animal! – disse Nautauquas com compaixão. — Eu o libertaria se ele me deixasse tocá-lo. Mas, como ele está, vai ter que morrer de fome, a menos que seu inimigo volte para acabar com ele.

— Não – disse Pocahontas —, não precisa ser assim. vou soltá-lo e fazer um curativo em sua ferida se você cortar uma faixa de sua calça.

— Que tolice – ele riu. — Uma fera não precisa de remédio nem de curativo para feridas. Se ela estivesse livre para encontrar um lugar seguro, ela lamberia o ferimento até curá-lo. Mas ela morderia sua mão se você tentasse tocá-la.

— Não, Nautauquas, ela não me machucaria. Veja como ela está quieta.

Ela se ajoelhou a uma certa distância do gato-selvagem e começou a sussurrar para ele. Nautauquas não conseguia entender o que ela dizia, mas para sua surpresa, ele viu como a fera deixou de balançar a cauda e como seus músculos pareceram relaxar. De qualquer modo, o jovem guerreiro segurou Pocahontas pelo braço e tentou puxá-la para longe.

— Não tem perigo, meu irmão – disse ela. — Não tema. Você não viu o velho Pai Noughmass quando as abelhas envolveram seu pescoço e suas mãos? Elas nunca o picam. Ele não sabe dizer o porquê, nem eu sei por que as feras não me machucam.

Então, Nautauquas, com a faca na mão e respirando fundo, ficou observando Pocahontas que, falando palavras com a voz baixa, se aproximou cada vez mais do gato-selvagem. Pegou a faca de sua bainha e começou a cortar as cordas que o prendiam. Uma das patas estava solta agora, mas ainda assim, a fera não se movimentava para tocar quem a resgatou. Então, quando as outras amarras foram soltas e o animal se libertou, ele se afastou lenta e dolorosamente mata adentro, como se não houvesse nenhum ser humano ali.

Nautauquas respirou aliviado.

— É incrível, Matoaka, mas peço que você não teste demais esse seu estranho poder. Mas estou feliz porque o pobre animal se salvou. Não gosto de vê-los sofrer. Eu atiro para pegar a carne e o couro, mas eu mato de uma vez.

Eles voltaram a subir a ravina e partiram na direção de Werowocomoco.

A noite já estava bem avançada, e Pocahontas se sentia cada vez mais zonza. Nautauquas, ao ver que ela estava quase adormecida, segurou seu braço e a puxou para si. Quando eles se aproximaram do ponto onde ele a havia visto dançando, eles viram alguém agachado. Mesmo ao luar, que se tornava menos intenso conforme amanhecia, ele viu que era uma velha índia. Pocahontas reconheceu a velha Wansutis, que coletava ervas e raízes.

— O que faz aqui, Wansutis? – perguntou ela.

— Ah! A pequena princesa – gritou a senhora, fechando o semblante para eles — e o jovem bravo Nautauquas. Procuro raízes e folhas à luz da velha índia do Sol. Assim, as bebidas ficarão mais fortes quando preparadas pela velha Wansutis.

Encontrei muitas plantas raras hoje; foi por sorte, talvez porque a jovem princesa também estava fora, na floresta.

Todas as crianças da tribo sentiam medo da velha. Elas contavam histórias sobre como ela conseguia transformar as pessoas de quem não gostava em cachorros, morcegos ou tartarugas. E naquele momento, até mesmo Nautauquas se lembrou de como fugia dela quando era pequeno. O semblante dela era tão feio e tão maligno que Pocahontas, apesar de não temê-la, exatamente, não desejava permanecer mais tempo, por isso saiu andando.

— E o que Pocahontas faz na mata à noite? – perguntou Wansutis. — Será que Powhatan sabe que ela saiu da cabana?

Pocahontas, apesar de frequentemente gostar quando as pessoas ao seu redor se esqueciam de sua posição na tribo, conseguia ter bastante consciência disso quando queria. Não gostou de ser questionada daquela maneira pela velha índia, e não respondeu.

— Ei – gritou Wansutis —, você não me respondeu. Talvez você tenha muito orgulho de sua posição e de sua juventude. Mas um dia, você será uma velha índia como eu, sem dentes, com pernas fracas, e a vida será um peso em seus ombros. Quando isso acontecer, você não será tão orgulhosa assim.

Pocahontas parou e se virou de novo.

— Não, não vou envelhecer. Não permitirei, um dia, ver a vida como um peso. A senhora não pode ler o futuro, Wansutis. Serei sempre tão viva quanto sou hoje.

— Pensa em afastar a velhice com algumas de minhas poções feitas com essas raízes que trago comigo, um peso excessivo para uma velha bruxa como eu carregar nas costas? Não vai usar nenhuma delas.

Ao ouvir isso, o modo de agir de Pocahontas mudou. Ela se abaixou, pegou o saco e o colocou na rede que estava no chão, erguendo-o até seus ombros fortes.

— Vamos, Wansutis – gritou ela. — Não tente me irritar com palavras, pois vou levar seu saco até sua cabana. De fato é pesado demais para seus ossos velhos.

A velha resmungou ao ficar de pé, e então os três, um atrás do outro, partiram em frente. Tiveram que avançar devagar, pois Wansutis só conseguia caminhar devagar, e Nautauquas ficou chateado por ver que o amanhecer se aproximava. Ele temia que agora Pocahontas não conseguisse voltar para casa sem ser notada para se deitar ao lado de Cleopatra e, com isso, que ela fosse repreendida. Eles foram com Wansutis até sua cabana, e Pocahontas soltou o saco de ervas. Nautauquas pegou a faca e cortou uma pata traseira do veado, e a colocou no quintal da velha índia.

— Ela não tem um filho que possa caçar para ela – disse, explicando-se, enquanto Pocahontas e ele partiam sem terem recebido um agradecimento.

A cabana de Wansutis ficava na margem do vilarejo. Quando se aproximaram das cabanas, escutaram gritos e berros de todos os lados, e viram meninos pequenos e jovens bravos correrem, olhando assustados ao redor.

— Vamos nos apressar – gritou Pocahontas. — Quero saber o que aconteceu, Nautauquas.

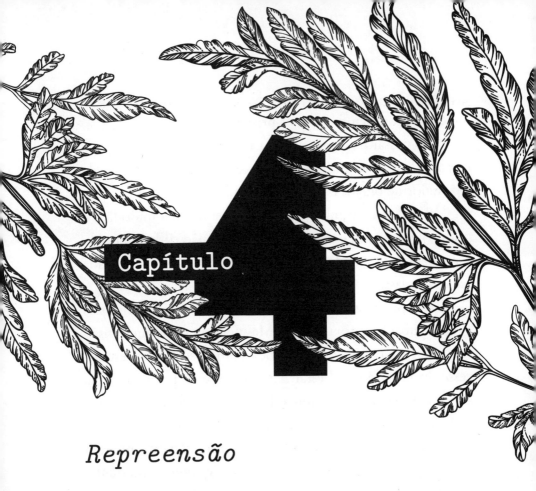

Capítulo 4

Repreensão

— O que aconteceu? — Nautauquas perguntou a Parahunt, seu irmão, quando o alcançou correndo em direção ao rio.

— Um informante avisou que uma das tribos dos vilarejos de Chickahominy[6] foi atacada por um

---

[6] Os Chickahominy, ou Povo do Milho Grosso, estavam entre as numerosas tribos independentes de fala algonquiana. Eles encontraram os colonos do primeiro assentamento inglês permanente fundado em Jamestown em 1607. A tribo ajudou os ingleses a sobreviverem durante os primeiros invernos trocando comida por produtos ingleses, pois os colonos estavam mal preparados para cultivar e desenvolver seu local de fronteira. [N.E.]

grupo de Massawomekes[7] e os derrotou. Agora mesmo eles estão se aproximando com os prisioneiros.

Ao passar na frente de sua cabana, Nautauquas jogou a carcaça do veado, e então correu para se unir ao grupo cada vez maior de bravos e de crianças na barranca do rio.

Pocahontas também tinha se misturado à multidão, e por isso, Cleopatra e as índias na barraca não tinham notado sua ausência, pensando, ao vê-la, que ela tinha sido despertada na aurora, assim como os outros.

Agora já estava quase claro. Lá embaixo, no rio, seis grandes ubás se aproximavam. Mas nem mesmo aquela visão foi suficiente para fazer com que quem observava se esquecesse do fato de o Sol estar nascendo e que, por isso, devia ser recebido com a cerimônia de sempre. Dois caciques, que tinham essa responsabilidade, tiraram punhados de *uppowoc*, ou tabaco, de dentro de seus sacos de couro. Ao caminharem em direções opostas, transcorreram um grande semicírculo, espalhando o tabaco no chão, e quando se encontraram, um círculo marrom tinha se formado. Dentro dele, guerreiros e índias correram para se acomodar. Olhando para cima com os braços esticados, eles cumprimentaram o Sol, que tinha voltado a eles para aquecer os campos e para fazer crescer a plantação de milho.

Quando a cerimônia da manhã foi finalizada, as ubás já estavam quase na praia. Ouviu-se uma forte gritaria da margem aos barcos e dos barcos à margem, e Pocahontas se

---

7 Grupo de nativos americanos de língua iroquoiana, formado por povos que migraram para o oeste do país de Ohio em meados do século XVIII. [N.E.]

escondeu atrás de arbustos frondosos em um ponto mais alto da barranca, onde pôde ficar sozinha para observar o desembarque. Ela aplaudiu quando seus amigos, os corajosos Chickahominies, saltaram das embarcações – vinte pessoas dentro de cada uma das enormes ubás, e ainda que sua dignidade não permitisse que ela gritasse, de modo a insultá-los, como fazia a multidão, para os três prisioneiros dentro de cada barco, ela observava atenta para ver que tipo de monstros eram aqueles inimigos de sua tribo.

Os dezoito Massawomekes não estavam amarrados; eles saíram dos ubás com a mesma firmeza de quem vai a um banquete, e não à tortura. Eles eram da nação de Iroqueses; e Pocahontas, que tinha escutado muitas histórias daquela raça, sempre inimiga da dela, notou certas diferenças na maneira com que eles se pintavam e no formato de seus cocares.

Vitoriosos e prisioneiros, seguidos pela multidão, continuaram marchando até a tenda cerimonial onde Powhatan esperava por eles. Pocahontas entrou na área já lotada, apesar de uma índia Powhatan tentar impedi-la. Ela adentrou, sem qualquer dificuldade, entre Chickahominies e Massawomekes, até o estrado onde seu pai estava, e se agachou em uma esteira estendida sobre apoios elevados aos pés dele, onde ela podia observar tudo o que estava acontecendo.

Um dos líderes dos Chickahominy, cujo rosto ela se lembrava de ter visto nos grandes festivais de outono, foi o primeiro a falar:

— Powhatan, governante de duzentos vilarejos e líder de trinta tribos, que governa da água salgada para as florestas do ocidente, viemos contar ao senhor como perseguimos seus inimigos, os Massawomekes, que, dois meses atrás, armaram uma emboscada para nossos jovens que estavam caçando veados. Perto do Grande Pântano – o Enorme Pântano da Virgínia –, nós os encontramos. E apesar de eles agirem como ursos para se esconderem em lugares secretos, não deu certo! Eu, Cobra D'água, consegui encontrá-los e meus guerreiros e eu os atacamos, e agora eles não existem mais.

Murmúrios de concordância e de aprovação foram ouvidos na tenda. Os prisioneiros aparentemente estavam alheios ao que Cobra D'água dizia, como se ainda estivessem escondidos na solidez do Grande Pântano.

— Ali, onde lutamos – continuou o orador, balançando as mãos em direção ao sudeste —, as flores brancas das plantas rasteiras ficaram vermelhas, e os abutres famintos sobrevoavam em círculos. Muitas mulheres índias da tribo Massawomeke passam as noites sozinhas em suas cabanas hoje; muitos meninos entre elas perderam o pai que os ensinaria como usar um arco. Nós assassinamos todos eles, Grande Cacique, todos, com exceção desses cativos que trazemos ao senhor.

Dessa vez, gritos mais altos de aprovação foram a resposta ao discurso de Cobra D'água, e só pararam quando ficou claro que o Powhatan pretendia responder. Ele não se levantou nem mudou a postura de nenhuma forma, e sua voz estava baixa e comedida.

— Uma árvore tem muitos galhos, mas apenas um tronco. Dentro da terra, suas raízes se esticam para puxar nutrientes para cada galhinho e cada folha. Eu, Wahunsunakuk, Cacique dos Powhatans e muitas tribos, sou o tronco, e um dos meus muitos galhos é a tribo dos Chickahominies, e é um galho muito estimado por mim. Meus filhos se saíram bem e Powhatan agradece a eles pelos bravos feitos. Agora, seus jovens guerreiros podem ir à caça sem arma e trazer carne para banquetes e couro para as índias amaciarem.

Ele fez uma pausa e todos os olhos das pessoas na tenda se voltaram a ele com a mesma pergunta.

— Meus filhos me perguntam *"O que devemos fazer com esses prisioneiros?"*, e eu respondo que eles devem alimentá-los primeiro, para que eles não possam dizer que os Powhatan são gananciosos e não servem nada a estranhos. Depois, quando eles tiverem comigo, deixem que passem pelo corredor da morte.

Ele balançou a mão, um sinal de que tinha acabado de falar, e a boa notícia foi gritada da cabana para a multidão interessada ali fora. Pocahontas sabia, como se fosse capaz de ver, que as índias estavam se apressando para preparar a comida. E de seu lugar no chão, ela conseguia ver, entre as pernas dos guerreiros a sua frente, que alguns meninos estavam deitados de bruços, tentando entrar na tenda para que pudessem ouvir com os próprios ouvidos as coisas interessantes que estavam sendo ditas e ver com os próprios olhos se os cativos demonstravam estar sentindo medo.

Powhatan deu uma ordem e todos se sentaram no chão ou em esteiras alinhadas de frente para ele. Em seguida, entraram as índias carregando grandes pratos de madeira e fibras de plantas cheios de comida. Havia pães quentes de milho, carne de peru e de guaxinim. Os cativos foram os primeiros a serem servidos e nenhum deles recusou a comida. Não deixariam seus inimigos pensarem que o medo do destino iminente pudesse acabar com seu apetite. Então, depois de jogar o primeiro pedaço de carne no fogo como uma oferta a Okee[8], eles comeram com vontade.

Um deles estava sentado mais à frente, Pocahontas notou, e era apenas um pouco mais velho do que ela. Era jovem demais para ser um guerreiro; talvez, ela pensou, ele tivesse fugido de casa e havia seguido o grupo de guerreiros, como soube que meninos de sua tribo tinham feito. Ela ficou tentando imaginar se ele se arrependia, temendo que sua sede por aventura tivesse feito de seu primeiro percurso de guerra, também seu último.

Quando eles terminaram de comer, as índias distribuíram penas de peru para que eles limpassem os dedos engordurados, e de todas as maneiras, os prisioneiros foram tratados com aquela cortesia exagerada, como eram tratados aqueles prestes a serem torturados.

Powhatan se levantou e, precedido e seguido por muitos de seus cinquenta homens armados escolhidos dentre os mais altos de suas trinta tribos, foi até o centro da tenda e saiu dela em seguida. Pocahontas foi logo atrás dele, e uma vez fora, correu para contar à curiosa Cleopatra tudo o que tinha testemunhado.

— Por que você pôde ver tudo? – perguntou a irmã de Pocahontas, com inveja. — Eu não vi nada, só ouvi os gritos.

---

8 Também conhecido como Okeus, Okee era um deus malévolo na mitologia da tribo Powhatan, o equivalente maligno do deus Ahone (principal deus e criador da religião da tribo). Ele foi rotulado como o diabo por colonos e missionários europeus. [N.E.]

— Porque – disse Pocahontas rindo, puxando os longos cabelos da irmã —, porque meus dois pés me levaram para dentro. Você é muito medrosa, ratinha.

Um espaço aberto se estendia diante da tenda cerimonial, usada para jogos e atividades de corrida e tiro ao alvo. Powhatan, seu guarda e seus filhos estavam sentados no chão de terra vermelha e seca que terminava em uma elevação de vários metros na lateral da tenda. Os outros chefes tomaram seus lugares atrás deles, de pé ou sentados; as índias se reuniram entre eles, e os meninos se sentaram nos galhos de uma nogueira, a única árvore dentro de Werowocomoco. Eles olhavam com atenção para o telhado inclinado da grande tenda. Ali era, sem dúvida, um local privilegiado, mas Powhatan era um líder muito temido – e *eles* não temiam despertar sua ira.

Pocahontas, que estava pensando onde poderia se sentar, notou os olhares invejosos lançados em sua direção. Ela não se deixou conter pelo medo deles, e correndo para o outro lado da tenda, escalou a árvore, apoiando o pé na casca dura. Em pouco tempo, estava acomodada confortavelmente onde não perderia nada do espetáculo.

Ela observava duas fileiras compridas de jovens guerreiros – uma delas composta por Powhatans, a outra de Chickahominies – descer para a área aberta abaixo de onde ela estava, formando um caminho de pessoas pintadas. Nas mãos, eles levavam bambus verdes afiados como facas, ou porretes pesados de carvalho, ou tacapes de pedra. Por um momento, eles ficaram ali, sem movimento, como se fossem meros espectadores de um drama a ser interpretado por outros.

Pocahontas reconheceu a maioria deles: Flecha Negra, cuja orelha tinha sido arrancada por uma patada de urso; Esturjão Saltador, que havia pendurado dois escalpos em sua cinta quando os caciques finalmente o consideraram velho o suficiente para ser um guerreiro; o primo dela, Coruja Branca, o guerreiro mais cheio desenhos pelo corpo, e o jovem cacique dos Nansamond, que usava uma cobra viva como brinco num buraco de sua orelha.

Powhatan deu o sinal e os cativos foram levados à frente. Eles sabiam o que os aguardava; provavelmente todos eles, exceto o mais jovem, tinham preparado o mesmo destino a outros que agora era preparado para *eles*. Eles não se afligiram; era a sina da guerra. Entoando cantos de triunfo e escárnio a todos os seus inimigos, eles começaram a percorrer a trilha terrível da morte. Açoites acertavam o pescoço, a cabeça, os braços, até mesmo as pernas de todos eles, dados pelos adversários. Os golpes vinham tão depressa dos dois lados que às vezes chegavam a acertar o mesmo lugar quase ao mesmo tempo.

Pocahontas notou, com interesse, que o garoto era o último da fila, e que ele aguentava tudo com a mesma bravura dos outros.

Quando eles chegavam ao fim do corredor, não havia como escapar – não havia mais nenhuma escapatória para eles. E então voltavam para o início, tão depressa que parecia que quando um conseguia fugir do golpe que deveria ter sido seu, logo recebia o golpe que era para ter sido do companheiro da frente.

Pocahontas sentiu algo estranho ao olhar para baixo, para eles, e ver o sangue jorrando de centenas de ferimentos.

Pensou que talvez o sol quente fizesse com que ela se sentisse um pouco mal. Acompanhou o garoto com o olhar e quando ele se aproximou, ela notou que ele estava quase sem forças. Mais alguns açoites acabariam com ele. Alguns rapazes mais velhos já tinham caído no chão, e se, quando açoitados sem piedade, eles ainda fossem incapazes de se erguer, o tacape abria seus crânios.

Para sua surpresa, Pocahontas flagrou a si mesma desejando que o garoto não caísse, que pudesse escapar de alguma maneira milagrosa. *Que ideia!*, ela disse a si mesma. Ele não era um inimigo de sua tribo, afinal? Mas, ainda assim, ela não conseguiu deixar de fechar os olhos quando viu Flecha Negra tentando acertar um golpe terrível na cabeça dele. Ela não sabia como agir. De repente, começou a pensar no gato-selvagem ferido do qual ela e Nautauquas tinham se compadecido durante a noite. Mas ninguém nunca deveria ter pena de um inimigo. O que havia de errado com ela?

Quando abriu os olhos de novo, escutou o berro de uma mulher e viu uma índia correndo na direção do fim da fila na qual o golpe de Flecha Negra tinha derrubado o garoto. Era a velha Wansutis.

— Peço o garoto – disse ela, ofegante. — Eu peço direito sobre ele por nosso direito ancestral. Parem, guerreiros, e deixem-me levá-lo.

Os guerreiros, surpresos, abaixaram os braços. E os cativos, ofegantes e sangrando, que ainda não tinham caído, respiraram mais fundo por um momento.

— Peço direito sobre o garoto – gritou a velha mais uma vez, virando-se na direção de Powhatan — para adotá-lo como filho. Muitos *popanows* se passaram desde que meus filhos foram assassinados. Agora Wansutis está velha e fraca e precisa de um filho jovem para caçar para ela. Por nosso costumo ancestral, esse cativo é meu.

Os guerreiros mais jovens reclamaram dizendo que uma de suas vítimas estava sendo roubada, mas os caciques mais velhos discutiram por alguns instantes, e então tomaram a decisão: não havia dúvida do direito da velha de querer o garoto. Então, Powhatan mandou que dois guardas o pegassem e o levassem à cabana de Wansutis.

De repente, Pocahontas se sentiu à vontade de novo. Sim, ela não conseguia evitar, disse a si mesma, mas estava feliz por ver que o garoto não tinha sido morto. Assim que ele foi levado, os golpes no corredor voltaram a acontecer. Mas Pocahontas já tinha visto o suficiente. Ela sabia que continuaria até todos os cativos estarem mortos. Ela saiu de trás da tenda e, guiada pela curiosidade, partiu em direção à cabana de Wansutis. Ficava à margem do vilarejo, e antes da passagem lenta dos dois guardas, a velha e o garoto tinham chegado. Pocahontas tinha se escondido atrás de uma rocha limosa, e daquele esconderijo, ela conseguia ver o interior da cabana, por sua abertura.

Ela observou os guardas deitarem o garoto inconsciente e viu Wansutis se ajoelhar e soprar as brasas no espaço reservado ao fogo, até elas se acenderem. Em seguida, ela viu a velha pegar uma panela de água e esquentá-la, jogando ervas dentro dela. Com essa infusão, ela limpou as feridas, cobrindo-as com óleo de bolotas logo depois. E enquanto ela agia, orava, invocando a Okee para curar seu filho, para deixá-lo forte de modo que ele pudesse cuidar dela na velhice.

Pocahontas estava tão disposta a saber se o garoto estava vivo que ela se aproximou mais da cabana, e quando ele finalmente abriu os olhos, olhou além do fogo e de Wansutis, diretamente nos olhos de Pocahontas. Ela viu que ele tinha recobrado os sentidos, por isso levou os dedos à frente dos lábios. Não queria que Wansutis soubesse que tinha sido seguida. O toque dos dedos enrugados já tinha sido carinhoso como o de uma mãe, e Pocahontas tinha certeza de que ela se ressentiria de qualquer intrusão. Depois de ver tudo o que havia para ver, ela se foi.

Depois de passar pela mata para colher madressilva a fim de fazer uma coroa de flores, ela voltou ao vilarejo. Não havia mais uma multidão no espaço amplo; os cativos estavam todos mortos e os espectadores tinham voltado para suas cabanas. Apenas alguns meninos estavam brincando de corredor da morte, alguns com galhos de salgueiro batendo naqueles escolhidos por todos para correr entre eles. Uma menina, imitando a velha Wansutis, correu e pediu direito ao filho a um dos agressores.

Alguns dias mais tarde, quando o jovem Massawomeke já tinha se recuperado, houve cerimônias para comemorar sua adoção como membro da tribo Powhatan, da grande nação dos Algonquins. Os outros garotos da idade dele o admiravam com inveja. Afinal, ele não tinha provado sua coragem no campo de batalha e sob tortura enquanto os garotos estavam apenas brincando? Eles o seguiam, dispostos a fazer o que ele mandasse, cada um tentando ser melhor do que os outros nos esportes quando ele os observava. E todos os velhos tinham coisas boas a dizer a respeito do Garra de Águia, e Wansutis estava tão orgulhosa que agora já se esquecia de dizer coisas ruins.

Pocahontas estava curiosa para saber se Garra de Águia gostava de sua nova vida, e um dia, quando ela estava percorrendo a floresta, ela o encontrou. Ele tinha se ajoelhado para olhar alguns perus nos quais ele queria atirar, mas seu arco estava largado a seus pés, e ela viu que os olhos dele pareciam estar atentos a algo na distância.

— O que você está olhando, filho de Wansutis? – perguntou ela.

Ele se sobressaltou, mas não respondeu.

— Fale, Garra de Águia – disse ela, impacientemente. — A filha de Powhatan não é de esperar por uma resposta.

Ele viu que era o mesmo rosto que ele tinha visto espiando dentro da cabana no momento em que recobrou a consciência.

— Eu vejo o sol se pondo, Princesa de muitas tribos, o sol que segue em direção às montanhas do vilarejo de onde eu vim.

— Mas você está conosco agora – disse ela.

— Sim, sou filho da velha Wansutis e sou leal à minha nova mãe e a meu novo povo, mas ainda assim, Princesa, todos os dias eu mando uma mensagem pelo sol para o acampamento onde eles sentem a falta de Garra de Águia. Talvez a mensagem chegue a eles.

— Quero que me conte das montanhas e dos costumes do povo de seu pai. Desejo aprender sobre pessoas desconhecidas e costumes diferentes.

— Não, Princesa, não falarei deles. Você nunca se despediu de seu povo para sempre. Eu quero me esquecer, não lembrar.

E Pocahontas, apesar de ser praticamente a primeira vez em que alguém se recusava a obedecê-la, não ficou irada. Estava ocupada demais ao caminhar em direção a sua casa pensando em como seria se ela nunca mais visse Werowocomoco e seu povo de novo.

Capítulo 5

Os grandes pássaros

Opechanchanough, irmão de Wahunsunakuk, o Powhatan, havia mandado a Werowocomoco um barco cheio das ostras e caranguejos da melhor qualidade. O grande cacique havia agradecido ao seu irmão e os portadores dos presentes estavam saindo quando Pocahontas entrou depressa na cabana de seu pai, meio ofegante e animada.

— Pai – disse ela. — Espero que o senhor me permita essa diversão. O dia está quente, e minhas amigas e eu queremos tomar um pouco da brisa do mar. Por isso, peço que nos deixe ir visitar meu tio por alguns dias.

Powhatan não respondeu na hora. Não gostava que sua filha preferida ficasse longe dele. Mas ela, ao ver que ele estava em dúvida, começou a pedir, a sussurrar nos ouvidos dele palavras de afeto e a acariciar seus cabelos até ele dar permissão. Então, Pocahontas partiu para pegar seu manto comprido e seu mais bonito colar de contas e a reunir as moças que a acompanhariam. Elas embarcaram no ubá com o povo do tio e remaram rio abaixo.

Em Kecoughtan, elas foram recebidas com muita cerimônia, pois Pocahontas sabia qual era sua obrigação e como, quando necessário, deixar de lado sua atitude infantil e ser mais madura. Opechanchanough a cumprimentou com gentileza.

— Você me perdoa, meu tio? – perguntou ela enquanto eles se acomodavam para um banquete delicioso de peixe, que ela sempre pedia quando o visitava, e de filés de carne de urso. — Me perdoa pela flecha que atirei em você no último inverno?

— Não vou me lembrar de nada desagradável em relação a você, mocinha – respondeu ele enquanto bebia seu copo de leite de castanha.

— De fato, estou envergonhada de minha tolice – continuou a sobrinha. — Eu era só uma menina, naquela época. Mas veja como cresci, como o milho depois de uma tempestade. Em pouco tempo, eles dirão que estou pronta para os pretendentes.

— E quem você vai escolher, Pocahontas?

— Não sei. Ainda não penso nisso.

— E no que você pensa?

— Em tudo, em flores e animais, em dançar e brincar, em guerras e cerimônias, no novo filho da velha Wansutis, no novo arco de Nautauquas, em colares e brincos, em velhas histórias e músicas novas... E no banho de amanhã.

— Não se culpe por ainda não ter saído da infância – disse o tio.

Então, quando o fogo diminuiu e a voz do contador de histórias tinha se tornado enfadonha, Pocahontas adormeceu com o braço sobre um filhote de urso que tinha sido retirado da mãe morta e que se aconchegava à pessoa que deitava mais perto do fogo.

Opechanchanough não tinha o mesmo afeto profundo por crianças como Powhatan demonstrava a seus filhos e filhas. Ele era um bom guerreiro, mas não era um líder pacífico como Wahunsunakuk. Ele se irritava um pouco por ter que abrir caminho ao irmão e ter que obedecer a seus comandos; mas ele sabia que apenas pela união das diferentes tribos da costa marítima eles poderiam se proteger dos inimigos que tinham em comum, os Iroqueses. Sua vaidade era muito grande e ele havia se sentido magoado com a humilhação à qual Pocahontas o havia exposto. Se ela tivesse ido visitá-lo antes, ele certamente não a teria recebido com tanta gentileza. Mas agora havia outros acontecimentos esquisitos e assuntos mais importantes a considerar, e ele era esperto demais como líder para se preocupar com as brincadeiras de uma criança. Além disso, ele tinha aprendido, por sua própria observação e pelo que outros diziam, como seu irmão a valorizava mais do que qualquer uma de suas mulheres ou filhos. Assim, a política, aliada à sua hospitalidade inerente, levou-o a ser gentil na recepção.

Na manhã seguinte, Opechanchanough se ofereceu para mandar Pocahontas e suas amigas para um passeio de canoa onde um cabo dava no mar e eles poderiam ver as ondas se quebrando no ponto mais alto, mas Pocahontas se recusou.

— Não, tio – disse ela —, mas minhas amigas nunca viram o mar. Elas costumam ficar em casa e eu as assustaria demais mostrando montanhas de água. Não se preocupe conosco, apenas peça que alguém nos traga comida. Conheço o caminho para uma praia tranquila onde podemos descansar.

Então, Opechanchanough, aliviado por não ser responsável por elas, deixou que ela fizesse como queria.

A cidade ficava a menos de dois quilômetros do mar, e as meninas partiram com muitos peixes secos em cestos de vime nas costas. Alguns dos jovens guerreiros cuidaram delas no caminho e comentavam quais delas eles escolheriam como esposa quando fossem mais velhos.

Pocahontas liderou o caminho em meio a arbustos de rosas e sumagre, com um pinheiro alto aqui, outro ali, os galhos mais baixos bem acima delas. Todas estavam muito animadas: era um dia para o lazer, e elas não tinham nenhuma preocupação. Elas cantavam enquanto caminhavam e brincavam umas com as outras, e Pocahontas não escapou.

— O urso arranhou você enquanto vocês dormiam? – perguntou uma. — E você o tirou de perto? Porque não consegui vê-lo no acampamento hoje.

— Talvez – sugeriu outra –— não fosse um urso de verdade, mas um espírito do mal.

PRINCESA POCAHONTAS | 75

As moças se animaram com a possibilidade.

— Bobagem – respondeu Pocahontas —, ele era de verdade; vejam a marca de garra no meu pé. Além disso, acho que o espírito do mal não tem muito poder em um dia tão lindo como este. Okee deve ter feito com que eles se afastassem.

De repente, o caminho mudou e à frente delas apareceu a superfície espelhada do mar.

— Vejam! – gritou Pocahontas, e então Asa Vermelha, a moça mais próxima dela, se jogou no chão encostando o rosto na areia. As outras ficaram olhando para a extensão de água à frente delas, em silêncio, encantadas. Aos poucos, a curiosidade venceu o medo e elas começaram a questionar:

— Por quantas léguas ele se estende, Pocahontas?

— As canoas conseguem encontrar o rumo dentro dele?

— As boas ostras são encontradas nas profundezas? – perguntou Olho de Cervo, cujo apetite era motivo de piadas entre as amigas.

Pocahontas respondeu da melhor maneira que conseguiu, mas para ela, que tinha visto a grande água muitas vezes antes, era quase um mistério tão grande quanto era para suas amigas. Mas naquele dia, ela a cumprimentou como quem cumprimenta um velho amigo. Ela mal conseguia esperar para se jogar nas ondas rasteiras que chegavam a seus pés.

— Vamos – gritou ela —, vamos nos apressar. Esse frescor vai ser maravilhoso para nossos corpos tomados pelo calor. – E enquanto corria em direção à água, ela tirou a saia, os mocassins, o colar e mergulhou no mar.

Apesar de suas amigas estarem acostumadas a nadar desde o dia em que as mães jogavam os bebês no rio para fortalecê-los, elas nunca tinham estado onde não houvesse margens ao redor, e sentiram medo de seguir Pocahontas para dentro daquele desconhecido. Mas aos poucos, sua segurança e animação venceram o receio das moças, que começaram a se sentir à vontade nas ondas calmas.

Durante quase uma hora, elas fizeram brincadeiras na água, correndo umas atrás das outras e mergulhando. Então, elas ficaram famintas e se lembraram da comida que tinham para preparar. Mas quando elas voltaram para a praia e estavam prestes a acender uma fogueira para assar a carne, Pocahontas fez um sinal para que elas esperassem.

— Aqui – disse ela — está a comida mais fresca. Vejam o que a maré nos deixou.

Para surpresa das moças, que não sabiam que o mar recuava, elas viram que enquanto se banhavam, a água havia se acumulado em pequenas piscinas abertas na areia. Dentro de uma delas, Pocahontas se abaixou e passou a mão pela areia, pegando um caranguejo de casca mole.

— Viram? – perguntou. — Há centenas deles para nosso jantar, mas tomem cuidado ao segurá-los, para que eles não machuquem vocês.

E as amigas, rindo e gritando, logo acabaram com um monte de caranguejos, muito mais do que conseguiriam comer. Elas encontraram pedaços de madeira na praia e algas marinhas secas às quais atearam fogo enfiando um graveto de ponta fina em uma base de madeira que elas tinham levado com o alimento. Depois de comer, se deitaram para descansar na areia e conversaram até começarem a cochilar, uma a uma.

Pocahontas tinha ido um pouco além na praia, pegando as conchinhas finas, douradas e prateadas que ela gostava de transformar em colares. Tinha encontrado várias delas e como eram muitas, ela se sentou para fazer o enfeite, usando a vegetação.

Quando terminou, deitou-se de costas, encostando em um monte de areia, e observou as gaivotas sobrevoando o local onde ela estava, mergulhando nas ondas de vez em quando para pegar um peixe. Ao longe, botos mergulhavam no mar, com as barbatanas escuras desaparecendo de vista e voltando a aparecer com frequência, como se estivessem dançando ao som de uma música marinha. Pocahontas queria saber de onde eles vinham e se eles e as gaivotas tinham combinado a aproximação. Era incrível movimentar-se tão depressa e com tanta facilidade pela água ou pelo ar. Mas ela não pensava em invejá-los. Será que ela não era naturalmente rápida como eles? Ela pressionou a areia quente ao seu lado, deliciando-se com a sensação; esticou as pernas, permitindo que os pés nus chegassem às pequenas ondas que os tocavam. Ela adorava o movimento da água! Dentro dela, as sensações aumentavam, um amor por todas as coisas vivas.

O mundo estava em silêncio naquele momento; o sol passava um pouco do zênite. Apenas os grasnados das gaivotas e o suave bater das ondas quebravam o silêncio. Seria agradável dormir ali, como suas amigas faziam, mas se ela dormisse, acabaria não aproveitando.

Mas por mais que pretendesse se manter acordada, quando olhava para o mar, tinha certeza de que havia adormecido e sonhava o mais estranho sonho de todos. Afinal, só no mundo dos sonhos existia uma visão como aquela do horizonte. Três grandes pássaros, que algum xamã com certeza havia criado com poderoso remédio, tão grandes que quase tocavam o céu, sobrevoavam as ondas, com as asas brancas abertas. Um, muito maior do que os outros, movimentava-se mais depressa.

Mas nunca, nos sonhos ou na realidade, ela tinha visto pássaros como aqueles, e a pequena Pocahontas, que havia se levantado, permaneceu observando encantada.

— Eu devo estar enfeitiçada! – gritou ela. — Algum feitiço maléfico tomou conta de mim.

Sua voz acordou as moças adormecidas enquanto um tambor de guerra acordava os pais delas.

— O que vocês veem? – perguntou ela, ansiosa.

— Ah, Pocahontas, *nós* não sabemos – responderam elas, aterrorizadas, aproximando-se —, *você* tem que saber. O que são aquelas coisas estranhas que passam por cima das ondas? De onde elas vêm?

Pocahontas, a destemida, estava aterrorizada. Olhou mais uma vez para o mar, e então, virando-se, levantou-se horrorizada. As amigas, que nunca a tinham visto daquela maneira, ficaram tão assustadas quanto ela, e elas só pararam de correr quando chegaram ao acampamento de Kecoughtan.

As mulheres índias saíram das cabanas ao verem suas filhas aterrorizadas, e tentaram acalmá-las, mas não conseguiram entender o que as havia assustado. Por fim, Opechanchanough saiu, e quando Pocahontas tentou contar a ele o que tinha visto, o rosto dele ficou sério.

— Aconteceu o que eu temia – disse ele a outro cacique. — Então, o que disseram sobre o cabo era verdade. É um mistério de algo ruim.

Ele começou a dar ordens apressadamente; a ubá foi levada à praia, e ele acenou para Pocahontas e para suas amigas sem cerimônia.

— Enviarei um mensageiro a Werowocomoco com notícias para meu irmão – disse ele para ela enquanto o barco era levado ao rio —, ele chegará ao vilarejo por terra mais depressa do que pelo rio. Adeus, Matoaka.

E Pocahontas, apesar de ter desejado questioná-lo a respeito do que ele tinha escutado e temido, ainda conseguiu se alegrar por estar indo de volta para seu povo, seu lar, onde visões estranhas como as que ela tinha acabado de testemunhar nunca ocorriam.

Capítulo 6

A tentação de John Smith

O *Discovery*, o *Godspeed* e o *Susan Constant*, depois de quase cinco meses percorrendo os mares, estavam agora ancorados na embocadura ampla do rio James, que os aventureiros ingleses tinham batizado com o nome de seu rei. As velas brancas, que tanto tinham aterrorizado as moças índias, agora batiam contra os mastros, saindo totalmente da inércia. A bordo, a discussão girava em torno de qual seria a melhor situação para a cidade que eles tinham criado para ser o primeiro estabelecimento inglês permanente – em Wingandacoa, como a terra era chamada antes de o nome Virgínia ser dado a ela em homenagem à Rainha Elizabeth, a "Rainha Virgem".

A expedição tinha partido da Inglaterra em dezembro do ano anterior, 1606. Entre aqueles que ocupavam os três barcos estavam os homens que já eram exploradores veteranos e outros que nunca tinham passado um dia longe de sua ilha.

Entre estes estavam Bartholomew Gosnold, que tinha navegado para o estranho mundo novo cinco anos antes. Ele havia aterrissado longe, ao norte do rio, onde os navios estavam agora – em uma praia mais fria e mais erma. Ali, ele tinha descoberto e dado nome ao Cabo Cod e à Martha's Vineyard. Christopher Newport também tinha navegado antes em águas ocidentais, mas mais ao sul. Ele era inimigo do espanhol sempre que o encontrava, e tinha deixado uma marca de terror no território espanhol, afinal, não tinha saqueado quatro de suas cidades nas Índias e afundado vinte galeões espanhóis? E ali estava John Smith, que tinha travado tantas batalhas em seus vinte e sete anos que muitos soldados experientes não conseguiam superar suas histórias de sítios, duelos com espadas, prisão e fugas extraordinárias. E havia muitos outros homens ali que tinham sido levados a atravessar o Atlântico motivados pela esperança de ganhos ou pelo amor à aventura. Eles tinham ouvido a estranha história da colônia perdida na ilha Roanoke, de homens e mulheres ingleses mortos pelos índios, ainda que não houvesse nenhuma confirmação confiável acerca de seu destino, mas o medo de um destino parecido não os havia impedido de chegar.

Havia muitos pontos a considerar: o estabelecimento tinha que ser perto da costa, de modo que os navios da casa conseguissem alcançá-lo com o mínimo de atraso possível, mas ainda longe da costa, em caso de ataques feitos pelos espanhóis.

O local tinha que ser saudável e de fácil defesa, uma vez que o ataque perpetrado pelos índios aos colonos quando estes chegaram ao cabo que eles chamaram de Henry, em homenagem ao jovem Príncipe de Gales, havia dado a eles uma ideia do que poderiam esperar. O boato dessa luta tinha chegado a Opechanchanough em Kecoughtan.

Na proa do *Discovery* havia um homem que não dava atenção às disputas ocorridas atrás dele. Ele não era alto, mas tinha corpo forte, e até mesmo de costas, era possível comprovar que ele era um homem acostumado a uma vida movimentada. No entanto, não era tão fácil adivinhar sua idade. A barba comprida e o bigode escondiam sua boca, e havia linhas profundas que desciam a partir do nariz que eram indícios dos anos vividos. Apesar disso, tinha a testa alta, ampla e sem marcas. Os cabelos eram abundantes e as sobrancelhas, escuras e grandes. Era um semblante inteligente e disposto, de um homem que já tinha visto mais coisas do mundo em seus curtos vinte e oito anos do que qualquer outro octogenário de cabelos brancos de sua terra natal, Lincolnshire. Ele segurava um binóculo e, de pé perto do gradil, movimentou-o devagar até apontá-lo em todas as direções. Ele havia observado o rio e as duas costas até onde os olhos alcançavam e agora observava a ilha a uma certa distância dali, mais para o alto, perto da barranca do lado direito do rio recém-batizado.

Um marinheiro, abrindo caminho pela multidão, perto da porta da cabine, aproximou-se do homem na proa.

— Capitão Smith – disse ele —, o Capitão Newsport me pediu para dizer que o Conselho está prestes a se reunir e ele deseja sua presença ali.

John Smith se virou e se afastou lentamente, tentando imaginar o que seria decidido na próxima hora. Será que ele, que sentia dentro de si um desejo incomum de organizar e comandar homens, receberia aquela chance maravilhosa – nunca antes concedida a um inglês – de plantar definitivamente em uma terra nova a semente de uma grande colônia? Desde muito jovem, seus dias tinham sido dedicados à aventura. Ele era da geração dos primeiros ingleses a descobrir que aquela ilha era pequena demais e que navegavam com vontade à procura de novos mundos para sua ambição e energia. Raleigh, Drake, Sir Martin Frobisher, Sir Humphry Gilbert, Sir Richard Grenville e John Smith eram os agentes enviados pelo governo inglês para descobrir novos caminhos aos quais a nação deveria enviar seus filhos. Corajosos, destemidos, incansáveis, normalmente cruéis, e gentis e firmes, em outros momento, eles foram para novos mares e novas terras, procurando a Passagem do Noroeste, ou "chamuscar a barba do Rei da Espanha" ou encontrar tesouros lendários das Índias – mas, independentemente de qualquer coisa, todos eles serviam, sem saber, ao governo de seu país na fundação de novos mundos. Talvez, entre todos, Smith fosse quem via com mais clareza o valor do estabelecimento em Virgínia, e com igual clareza estava ciente de que as invejas e cobiças de muitos de seus companheiros colonos ameaçariam, e muito, seu crescimento e sua própria existência.

Apesar de nenhum olho curioso tê-lo observado enquanto ele caminhava lentamente em direção ao caule do navio, sem demonstrar emoção, ele se sentia tomado pela esperança de que fosse escolhido para liderar o grande trabalho. Mas ele temia, sabendo que durante toda a longa viagem, quase desde o momento em que eles tinham levantado velas na Inglaterra até ali, seus inimigos, invejosos de sua fama e de seu poder sobre os homens, procuravam derrotá-lo e sujar sua boa reputação. Pensou nas mentiras que eles tinham espalhado pelos três navios, de que ele estava instigando um motim, até ordens serem dadas e torná-lo praticamente um prisioneiro pelo resto do trajeto. Mas ele logo descobriria se eles pretendiam tirá-lo do caminho ou dispensá-lo.

Quando ele entrou na pequena cabine, viu sentados ao longo da trave em cadeiras de braços largos o Capitão Christopher Newport, Bartholomew Gosnold, Edward Wingfield, John Ratcliffe, John Martin e George Kendall. Eles cumprimentaram Smith quando ele entrou, assim como os outros cavalheiros recostados na antepara, mas sem cordialidade, e ele sabia bem que eles estavam falando sobre ele antes de sua chegada. Ele se sentou em silêncio.

Aqueles homens compunham o Conselho que tinha sido designado nas instruções secretas dadas a eles quando navegaram, depois de passarem entre o Cabo Charles e Henry. E aquele Conselho agora, de acordo com a lei, deveria eleger seu presidente para o ano seguinte. Smith agora tinha certeza de que devido à hostilidade deles para com ele, eles já tinham determinado quais seriam seus votos enquanto ele estivesse fora da cabine. Mas a forma foi decidida e o resultado foi

PRINCESA POCAHONTAS | 85

anunciado solenemente: Wingfield seria o primeiro presidente da Colônia, e Smith viu que nem sequer tinha sido mencionado para o menor cargo. Os outros, em sua maioria, sorriram com prazer enquanto olhavam para ele procurando sua decepção, mas não a notaram, porque ele não deixou nada transparecer. Apenas levantou-se e disse:

— Capitão Newport e cavalheiros do Conselho, permitam que eu sugira o nome dessa nova colônia de nosso querido soberano, rei James.

Naquele momento, finalmente, eles tiveram que seguir o exemplo dele, e todos se puseram de pé e gritaram:

— Que assim seja, Jamestown!

Então, voltou a acontecer a discussão a respeito do ponto a ser escolhido para o estabelecimento. Havia aqueles que desejavam um local mais perto da baía; um deles defendia que eles explorassem os outros rios nas redondezas – o Apamatuc, o Nansamond, o Chickahominy, o Pamunkey, como os índios os chamavam – antes de decidir; mas Newport, disposto a voltar para a Inglaterra, não concordou.

— Escolhemos hoje – disse ele, batendo o punho cerrado com força na mesa.

A ilha que Smith tinha avaliado com seu binóculo foi considerada. Era ampla e plana, não muito distante do mar, disse um a seu favor. A maioria foi a favor e os outros, pelo menos, foram convencidos a concordar. Smith não havia apresentado nenhuma sugestão. Ele sabia que independentemente do que defendesse, seria derrotado. Quando perguntaram a ele sua opinião sobre a ilha, ele respondeu: *"Tem muito potencial"*, deixando seus ouvintes ainda em dúvida em relação a sua verdadeira escolha.

— Agora que batizamos o bebê antes do nascimento – disse o Capitão Newport, levantando-se —, vamos para a terra demarcar a área de nossa Jamestown.

Todos, exceto alguns marinheiros ainda em guarda, saíram do navio. Depois de mais discussões, o Conselho escolheu os pontos onde ficariam a sede do governo, a igreja e o armazém, enquanto os operários se ocupavam em cortar árvores e abrir áreas para as barracas temporárias. A construção de um forte não tinha sido discutida, mas Smith, cujo conhecimento militar mostrou a ele como a ilha era vulnerável, não fez nenhuma sugestão em relação a sua fortificação.

Ele havia caminhado sozinho em meio à vegetação rasteira, aos arbustos floridos nos quais tordos-dos-remédios e gatos-cantores pousavam, na lateral da ilha mais próxima do continente.

— Aqui – disse ele, falando alto como tinha aprendido a fazer quando foi cativo entre os tártaros, de modo a não esquecer o som da própria língua —, aqui, deste lado, deveria haver um muro protegido com poderosas colubrinas. Uma torre de vigilância neste canto e, estendendo-se ao norte e ao sul, uma forte paliçada. Isso, com sentinelas vigilantes, nos protegeria de ataques, exceto da entrada da água. Se e...

Então ele parou, franzindo o cenho. Seu desapontamento estava claro, seu orgulho havia mirrado depressa. Desde sua partida da Inglaterra, desde a união com a nova colônia, ele nunca tinha notado o tanto que sofreria com inveja, intriga e negligência. Enquanto ele permanecia observando a confusão do lado oposto da costa, seus pensamentos foram tomados por decisões para seu futuro.

— Por que devo ficar aqui – gritou ele — para ser ignorado, sendo que há muitos navios ingleses que estariam dispostos a ter minha presença na proa, ao lado de muitos homens do mar que ficariam felizes sob meu comando? Não sou desses homens que aceitam seguir ordens. Eu nasci para *dar* ordens. O mundo é vasto e esta ilha não precisa ser minha prisão. Navegarei de volta ao *Discovery* e ficarei atento a novas aventuras.

Um farfalhar nas moitas atrás dele fez com que ele se virasse depressa. Ali estava Dickon, Hugh e Hob, três dos homens que tinham vindo da mesma parte do país que ele, com quem, durante a longa viagem, muitas vezes ele conversou alegremente sobre seus lares e os conhecidos que todos eles tinham em comum.

— Capitão – disse Dickon —, estamos aqui para conversar com o senhor em particular. Disseram que não deram ao senhor um lugar no Conselho. É verdade?

— É – respondeu Smith, com calma.

— Que golpe baixo – gritou Hugh, e seus colegas repetiram o que ele disse. — Um golpe baixo, mas o que o senhor fará agora?

— O que vocês esperam que eu faça, homens? – perguntou Smith com curiosidade.

Dickon mais uma vez foi o porta-voz, e os outros assentiam concordando com suas palavras.

— Somos seus amigos, Capitão, e queremos o seu bem. Viemos a esta terra desconhecida para fazer nossas fortunas porque o senhor veio. Nós nos sentimos seguros com alguém que já viajou muito e sabe tudo sobre os modos diferentes de povos estrangeiros, negros e desses homens vermelhos daqui. Mas se o senhor não tem voz na administração, estamos sendo enganados e não sabemos o que poderá nos acontecer. Muitos dos outros pensam como nós, não apenas trabalhadores como nós, mas muitos dos cavalheiros que têm pouca confiança neles, os que receberam cargos importantes. Mas digo, permita que nós três conversemos com aqueles que sabemos serem simpáticos ao senhor e falaremos em segredo com eles, e nos reuniremos amanhã numa ponta desta ilha, e lá ficaremos até eles concordarem em fazer com que o senhor seja o presidente. E se houver luta por causa disso, melhor. O que nos diz, Capitão?

Smith não respondeu na hora. A amizade daqueles homens o tocou profundamente no momento em que ele considerou o tratamento dispensado por aqueles rapazes para com ele. Sabia que eles falavam a verdade; havia vários colonos que tinham se mostrado simpáticos a ele e se dispunham a apoiá-lo. Além disso, ele sentiu dentro de si o poder para guiá-lo, para fazer com que eles seguissem suas ordens, como nunca conseguiria fazer em Wingfield. Foi menos por satisfação pessoal e mais por saber que sua liderança traria benefícios à colônia, benefícios desconhecidos por seus colegas aventureiros, que ele se sentiu tentado a consentir. Ele não era um homem fútil, mas, sim, consciente de seus poderes incomuns.

— Se fôssemos fortes o suficiente para deter e administrar parte dos estabelecimentos e das embarcações, vocês me permitiriam guiá-los para a conquista de uma ilha nossa, homens? – perguntou ele, e imediatamente imaginou as possibilidades de tal passo.

— Sim, sim, capitão – gritaram os três.

— E seríamos fortes o suficiente também, não tema – acrescentou Hugh.

A tentação para John Smith foi forte, e ele andou de um lado a outro, pensando no assunto. Afinal, que consideração ele deveria ter com quem não havia demonstrado ter consideração por ele? Ele não temia o fracasso. Tinha sobrevivido bem a muitos perigos para não se sentir confiante. Ele só duvidava do primeiro passo. Os homens, ele podia ver, estavam ficando impacientes, mas ele nada disse. De repente, uma flecha passou assoviando rente a sua orelha e caiu a seus pés.

— Os selvagens! – gritou Dickon.

Smith espiou em direção à mata, além da água, e imaginou ter visto, atrás de uma bétula, uma pessoa nua.

— Vamos voltar e alertar o Conselho – disse ele, virando-se na direção de onde tinha vindo. — Acho que eles não nos atacarão, principalmente se permanecermos juntos.

Ele ficou parado por um momento, perdido em pensamentos. Depois, disse:

— É isso, Dickon, *se permanecermos juntos*. Não, não se preocupe, Hugh. Tire de sua mente tudo sobre o que falamos nessa última meia hora, pois eu tirarei da minha. Precisamos permanecer juntos, homens, aqui neste mundo novo. Vocês três devem me apoiar porque somos todos vizinhos nascidos em Lincolnshire; mas aqui nessa mata, somos todos vizinhos, ingleses, assim como um condado mais amplo. Não vai demorar nada para os selvagens se aproximarem de nós, não podemos pensar em coisas pequenas. Precisamos esquecer essas coisas e permanecer juntos pelo bem de todos. Vocês prometem, homens?

— Como o senhor decidir, Capitão – respondeu Dickon.

— Sou contra ou a favor, como quiserem – disse Hugh —, mas fico feliz que tenham decidido lutar em vez de aceitar.

E Hob, que não tinha aberto a boca para dizer nada até aquele momento, disse com seriedade:

— Não sou medroso. Capitão, como o senhor quiser brigar.

Quando eles voltaram ao local da futura Jamestown, Smith, que havia decidido fazer o que parecia certo, independentemente de como seu conselho fosse recebido, contou ao Presidente Wingfield a respeito do arqueiro escondido e o alertou acerca do perigo para aqueles que se afastassem de seus companheiros. Mas os membros do Conselho, motivados a serem contrários a tudo o que Smith dizia ou sem perceber a mudança na atitude simpática dos índios, não acreditaram que os selvagens queriam perturbá-los e se recusaram a admitir a necessidade de erguer uma paliçada ou de tomar precauções de defesa.

A cada dia, o trabalho de limpar o terreno e montar barracas avançava aparentemente mais depressa do que no dia anterior, conforme os resultados se tornavam mais visíveis. Todos estavam tão esgotados pela vida difícil a bordo do navio por tantas semanas, que ele estava feliz por poder se deitar na terra ou em camas improvisadas. Smith, para dar o exemplo a alguns dos cavalheiros que permaneciam de braços cruzados, observando enquanto os mecânicos trabalhavam, pegou enxada e martelo para trabalhar. Mas ele se sentia muito insatisfeito com o modo com que ainda era tratado e aproveitou a oportunidade para deixar a ilha.

Com Capitão Newport e vinte outros, ele partiu em um dos barcos do navio para explorar a parte de cima do rio. Eles permaneceram fora alguns dias, depois de subirem o James até as cachoeiras perto de Powhata, um vilarejo Powhatan perto do local onde fica hoje a cidade de Richmond. Então, voltaram a Jamestown.

Quando voltaram, foram recebidos por muitas notícias, como a de que, durante sua ausência, os índios tinham matado um garoto e ferido dezessete colonos. Por sorte, um tiro dado de um dos navios havia assustado tanto os selvagens que eles fugiram para a mata. Agora, o Conselho era forçado a reconhecer a necessidade de proteção e, assim, mandaram que todos parassem de trabalhar em qualquer outra coisa para que uma barreira e um forte fossem construídos.

Agora era junho. De repente, para surpresa de todos, os índios se aproximaram e sinalizaram querer estabelecer relações amigáveis com os brancos. Eles saíram de seus barcos e tocaram as roupas dos colonos, suas armas e seus alimentos, mostrando grande curiosidade por tudo. No dia seguinte, o Conselho, talvez por ter visto a tolice de suas suspeitas ou por ter notado o valor da experiência militar e do conhecimento de Smith, o estado de sua quase prisão, que durava desde o início da viagem, foi encerrado. Agora que tudo parecia pacífico, por dentro e por fora, como sinal de gratidão e de irmandade, uns em relação aos outros, todos os colonos fizeram a Comunhão juntos, ajoelhando na tenda temporária, coberta por um pedaço de tecido da vela do barco, que servia como igreja.

Então, no dia 7 de junho, eles foram para a barranca do rio com semblante sério e muitas dúvidas e medos no coração. O *Discovery*, que partia para a Inglaterra, levava o Capitão Newport embora, deixando-os sozinhos na Virgínia.

Capítulo 7

Uma briga no pântano

Nem um dia se passava sem novos boatos em Werowocomoco a respeito dos brancos desconhecidos e seus hábitos curiosos.

Índios Pamunkey observavam com atenção a movimentação dos colonos do topo das árvores na praia, e mensageiros levavam as notícias de cada ato tanto para Opechanchanough quanto para Kecoughtan e para o Powhatan em seu vilarejo. A curiosidade e a consternação se dividiam igualmente na mente dos índios. O que isso significava vindo de seres cujas maneiras ninguém era capaz de entender? Seriam eles deuses vivendo uma vida afortunada, contra quem os arcos e feitiços dos xamãs não funcionavam? A questão dos tiros em todos os vilarejos era controversa. Os velhos caciques, sábios nas tradições de seu povo, falavam de profecias que previam a vinda de heróis com caras pálidas como a água na alvorada, que deveriam ensinar bons remédios para a tribo e trazer colheitas fartas e caças abundantes. Outros lembravam dos rumores vagos que vinham de longe, muito longe ao sul, de tribos cujos nomes eram desconhecidos e de outros caras-pálidas – os colonos espanhóis nas Índias –, que levaram fogo e guerras para ilhas pacíficas e felizes dos mares de verão, que, assim como demônios terríveis e poderosos, espalhavam morte e doenças desconhecidas entre eles.

Foi quando chegou aos conselhos a palavra consoladora da morte de um menino branco assassinado por uma flecha dos Pamunkeys. Então eles eram mortais, sim, disseram os caciques, e eles fumaram seus cachimbos com mais calma, sentados ao redor da fogueira. Contra os deuses, o homem não tinha como saber qual atitude era correta; mas como aqueles não passavam de homens que tinham fome e sede e podiam ser feridos, coube aos índios planejar medidas que deveriam ser adotadas contra eles.

Muitos dos caciques conseguiram medidas imediatas.

— É fácil – disse um deles — arrancar uma muda de carvalho, mas quem consegue arrancar uma árvore adulta?

Nautauquas, filho de Powhatan, estava entre os mais interessados em agir depressa. Ele havia conquistado para si o nome de um grande guerreiro e de um caçador forte, mesmo sendo ainda tão jovem. Ele colecionava muitos escalpos no poste de sua cabana, e já tinha matado muitos ursos e gatos-selvagens, arriscando sua vida. Aquela era uma nova oportunidade de se destacar – seguir em frente contra perigos que ele nem sequer conseguia prever. Era estranha a magia usada por esses desconhecidos caras-pálidas para se proteger; assim, se ele e sua tribo conseguissem vencê-los e varrer todos os indícios de sua curta estada, seria uma história para fogueiras no inverno e para gritos de guerra de guerreiros por toda a duração da nação.

— Deixe-me ir, meu pai – pediu ele. — O senhor conquistou trinta tribos, não impeça seu filho de ter essa fama.

— Espere! – Foi a resposta de Powhatan.

Os xamãs e sacerdotes tinham orientado o cacique. Eles ainda não tinham compreendido as intenções de Okee em relação aos novos chegados, mas eles tinham subido ao topo dos montes de terra vermelha em Uttamussack, onde ficavam três tendas sagradas cheias de imagens, e eles tinham jejuado e orado para que Okee revelasse a eles o que desejava.

Powhatan, apesar da idade, sentia o ímpeto de agir, e seu coração se acelerou quando seu filho preferido expressou seus desejos. Ele desejava fazer guerra, embrenhar-se na floresta, espiar os desconhecidos que tinham ousado se estabelecer em seu território, e depois atacá-los, aterrorizando-os com seu terrível grito de guerra, como ele havia aterrorizado tantos outros inimigos. Mas ele não ousava fazer isso ainda: não era apenas um grande líder na guerra, mas também um grande líder de seu povo em paz. Okee ainda não tinha falado. Talvez, os homens de rostos esquisitos e línguas esquisitas, por conta própria, reconheceriam sua soberania, e talvez não houvesse a necessidade de sacrificar a vida de seus jovens guerreiros por eles.

Ele pensava em tudo isso quando gesticulou para que Nautauquas esperasse; mas não havia ninguém que lesse sua mente, e ninguém que ousasse desobedecê-lo.

Quando Nautauquas saiu da cabana de seu pai, ele pegou seu arco e flecha e foi para a floresta para caçar. Com sua decepção, ele estava cansado de palavras e desejava agir. Correu e chegou a um ponto onde ele tinha certeza de que encontraria um bando de perus selvagens, mas viu Pocahontas mais à frente. Ela também andava depressa, pensativa, envolvida na tarefa que tinha que realizar, pois não parou para observar os pássaros ou para colher flores, como costumava fazer.

— Matoaka – disse ele —, aonde você vai?

— Para ver os desconhecidos e seus pássaros brancos grandes, que vi de Kecoughtan, irmão. Não consigo me acalmar, preciso saber como eles são de perto.

— Você não ouviu nosso pai dizendo que não devemos nos aproximar da ilha onde os desconhecidos estão? – perguntou ele.

— Meu pai não se referia a mim – respondeu ela, de modo orgulhoso. — Como você sabe, ele permite que eu faça muito do que é proibido aos outros.

— Mas não isso, irmãzinha. Há pouco, ele me proibiu de ir até lá. A cabeça dele está cheia. Não o deixe irado. Apesar de ele te amar muito, se você desobedecer à ordem dele nesse assunto, ele vai aplicar um castigo severo a você. Volte comigo, Matoaka, e me ajude a caçar.

Pocahontas relutou, não queria abrir mão de sua expedição há muito planejada, mas deixou-se convencer. Ela lembrou que Powhatan, naquele mesmo dia, havia ordenado que uma das índias apanhasse até quase morrer. Além disso, era uma grande alegria caçar com Nautauquas e ver qual deles mataria mais perus. Eles precisavam fazer isso para as índias, que andavam reclamando que os guerreiros estavam ficando preguiçosos e não os mantinha abastecidos com carne.

Enquanto os dois filhos de Powhatan abasteciam a despensa de Werowocomoco, ocorria uma grande escassez de alimentos em Jamestown. As provisões, muitas delas mofadas e quase estragadas depois da longa viagem, se tornavam cada dia mais escassas. Havia peixe no rio, mas os colonos estavam cansados de manter o que chamavam de "dieta quaresmal", e sonhavam em comer suculentos bifes de carne inglesa. No começo, seus vizinhos índios quiseram trocar milho e vitela por objetos lindos, surpreendentes e desconhecidos; mas agora, ou por obedecerem à ordem de Powhatan ou por outros motivos, eles não tinham mais provisões. John Smith, percebendo que os alimentos eram a necessidade mais urgente da colônia, havia partido em diversas expedições, subindo muitos rios diferentes à procura deles. Barganhando, insistindo ou forçando, ele havia conseguido renovar o estoque todas as vezes, mas estava quase vazio de novo e a fome era uma ameaça.

Algo precisava ser feito de uma vez, e o Conselho reuniu-se para debater aquele assunto. O Capitão John Smith esperou até que os outros dessem sua opinião, e nada prático tinha sido sugerido, então ele se levantou e começou:

— Cavalheiros do Conselho, só há uma coisa a se fazer. Como nossa despensa não vai se renovar sozinha, é preciso que alguém saia de novo à procura de alimento. Deem-me dois homens e um dos barcos do navio e eu partirei em direção ao norte, subindo aquele rio que os índios chamam de Chickahominy e, se Deus me ajudar, trarei provisões para todos nós e farei um acordo permanente com os selvagens para que nos sustentem até nossas plantações crescerem.

O Presidente Wingfield concordou com a exigência de Smith. A barcaça foi aprontada com um estoque de contas e outros itens brilhantes, e Smith partiu com os votos de sucesso dos colonos de rostos pálidos.

Quando eles chegaram ao ponto em que, para Smith, parecia um local ideal para permutas, ele levou dois homens, Robinson e Emery, e dois nativos amigáveis em uma canoa e partiu para explorar ainda mais o rio, dando ordem para que os outros esperassem por ele onde ele os havia deixado, não saindo dali sob nenhuma circunstância.

Ele ficou feliz por se afastar do barulho dos homens que reclamavam em Jamestown, muitos dos quais estavam doentes e ansiosos devido à má-nutrição e alguns, por serem cavalheiros, não trabalhavam, mas se afligiam dizendo que não podiam viver como pobres. Nessa expedição, ele estava com amigos, apesar de não saber quais inimigos poderiam estar à espreita em terra firme. Notou que os nativos estavam se tornando cada vez menos simpáticos com o passar do tempo, conforme perdiam a confiança dos brancos. Mas ele não temia por si; já tinha enfrentado perigos demais em sua vida de aventuras para temer as que ainda estavam por vir.

Enquanto remavam rio acima, os homens começaram a falar do passado na Inglaterra, antes de sonharem em tentar ganhar fortunas em um mundo novo, mas Smith gesticulou para que eles se calassem, pois ele precisava ser capaz de escutar qualquer ruído que indicasse a proximidade de um ser humano.

— Faça amizade o quanto antes com os homens de cobre, Capitão – sussurrou Robinson —, pois estou com fome e mal posso esperar até o senhor trocar essas bobagens por provisões.

— Aguentem um pouco mais, homens – sugeriu o Capitão, com seriedade. — Se eu entendi tudo o que me disseram, os índios conseguem superar qualquer cristão devoto no que diz respeito ao jejum. Precisamos aprender essa virtude com eles.

Eles se mantiveram no meio do rio para se protegerem de qualquer flecha que pudesse ser atirada neles em terra firme, mas depois de muitas horas assim, Smith se determinou a explorar um pouco a ilha. Para seu olho treinado, uma pequena enseada parecia muito adequada como lugar para as canoas atracarem, e teve certeza de que um vilarejo indígena não podia estar longe.

— Entre na água de novo – disse ele ao pisar na barranca —, e espere por mim lá.

John Smith entrou na floresta, pronto para a amizade ou para a guerra, já que ele não conhecia o temperamento dos nativos da região. De repente, ao encontrar um espaço aberto onde um pântano se estendia do monte ao rio, duzentos selvagens aos gritos correram para cima deles, atirando flechas de todos os lados.

— Então é guerra! – gritou Smith, e quando um jovem guerreiro adiantado em relação aos outros parou para mirar, ele deu um salto e o agarrou. Arrancando o próprio cinto, Smith segurou o índio assustado pelo braço esquerdo para que pudesse usá-lo como broquel vivo. Protegido dessa forma, ele deu um tiro de revólver e a bala, entrando no peito de um cacique mais velho, matou o homem instantaneamente. O estranho destino que havia acometido o líder deles marcou o início da matança, e seus companheiros se abaixaram, um atrás do outro, para analisar o ferimento feito pela arma demoníaca. Esse intervalo lhe deu tempo suficiente para desembainhar a espada e girando, ele manteve os inimigos distantes. Smith conseguiu se defender por mais algum tempo porque os selvagens pararam de atirar, sem saber exatamente se suas flechas eram ineficientes em um corpo inabalável, mas logo ele notou um novo perigo. O chão de lama no qual ele pisava estava se afundando com seu peso e o peso daquele escudo vivo, e ele agora sentia-se afundando cada vez mais, até ficar preso na altura da cintura. Ainda assim, os índios, sem dú-vida temendo que ele tivesse alguma outra arma estranha ou feitiços malignos em seu poder, não correram para atacá-lo.

Para uma manhã, o dia estava muito frio, e a água estagnada fazia seus ossos tremerem. Ele começou a bater os dentes de frio, não de medo. Foi quase com uma sensação de alívio que ele viu os índios começarem a correr em sua dire-ção. Caminhando com cuidado, aos poucos eles o cercaram e dois deles o puxaram para cima pelos braços, enquanto os outros soltavam o guerreiro.

Agora ele era um cativo, e não era a primeira vez na vida que isso acontecia. Nada ganharia relutando, ele sabia, e olhou para os índios sem indício de medo. Eles o levaram a um fogo aceso não muito longe dali em um chão mais firme onde estava um cacique que, como ele soube, era o cacique Opechanchanough.

Quando ele deu a ordem, os guardas se afastaram e o enorme guerreiro deu a volta por Smith lentamente, examinando-o da cabeça aos pés.

Fez-se uma pausa que, o inglês sabia, podia ser interrompida por uma ordem para torturá-lo e matá-lo. Ele não compreendia a hesitação deles, mas pretendia tirar vantagem dela a qualquer custo. Precisava chamar a atenção do cacique gigante a sua frente. Lentamente, ele tirou do bolso o pesado relógio de prata e o levou ao ouvido.

Nunca Opechanchanough e seus homens tinham se surpreendido tanto com o desconhecido. Até onde eles sabiam, aquela bola pequena na mão do homem branco podia trazer um feitiço mais mortal do que aquele de sua pistola. Eles permaneceram ali como crianças numa tempestade, sem saber quando ou onde o raio cairia.

Mas nada terrível aconteceu. Então, a curiosidade de Opechanchanough foi despertada e ele estendeu a mão para pegar o relógio. Smith, sorrindo, estendeu a mão espalmada com o relógio nela, e a posicionou ao lado do ouvido do cacique, dizendo na língua Pamunkey:

— Ouça.

Opechanchanough se sobressaltou e gritou:

— Um espírito! Um espírito! Ele tem um espírito preso!

Então, um a um, os captores avançaram para observar a *tartaruga de metal que tem um espírito*", e muitas foram as reações de surpresa.

Para aumentar a surpresa e prolongar a demora, ainda sem saber o que aconteceria, Smith enfiou a mão no bolso e tirou dali sua bússola. Era de marfim, e a agulha trêmula foi considerada outro espírito por Opechanchanough.

Mas de repente, sem aviso, dois dos guerreiros mais novos – que evidentemente tinham determinado que descobririam, de uma vez por todas, se aquele desconhecido era vulnerável ou não – agarraram Smith e o arrastaram depressa até uma árvore, onde o amarraram com força. Em seguida, aprontaram as flechas e as miraram em seu coração.

Em um segundo tudo estará acabado, pensou Smith, *vida, aventuras, minhas ambições e meus problemas.*

Opechanchanough chamou os guerreiros, erguendo a bússola. Franzindo o cenho, desapontados, os jovens soltaram o cativo e Smith percebeu que, mais uma vez, a curiosidade do cacique tinha salvado sua vida. Usando as palavras indígenas que ele sabia e acrescentando sinais, ele conseguiu explicar como aquilo era usado.

— Veja – disse ele, apontando —, *yon* é o norte, de onde vem *popanow*, o inverno; e atrás de nós fica *cohattayough*, o verão. Eu posso virar para cá e para lá, mas o espírito na agulha ama o norte e não sai dele.

Quando todos olharam para a bússola, Opechanchanough a segurou de novo, com muito cuidado, como teria segurado um *papoose* – bebê índio–, se o tivesse recebido das mãos de uma índia. Aquilo era algo valioso e ele pretendia mantê-lo, mas não sabia o que o objeto poderia fazer por ele. De qualquer modo seria bom deixar a seu lado o homem que compreendesse esse valor.

— Venha – disse ele —, como você não consegue entender nossas palavras, venha comer na tenda dos Pamunkeys.

E Smith, sem saber quando a morte poderia acometê-lo, foi atrás dele. Naquele dia, eles serviram um banquete a ele, e o inglês meio faminto comeu muito pela primeira vez desde que havia pisado naquele mundo novo. Pelo menos ele tinha se fortalecido agora para suportar com coragem o que estava à espera dele. No dia seguinte, ele teria que acompanhá-los, e eles caminharam depressa e com firmeza por muitas horas em meio à floresta até Orapeeko. Talvez os mensageiros de Opechanchanough tivessem passado a ele a informação errada de que Powhatan estava naquele vilarejo que, além de Werowocomoco, ele visitava com muita frequência; mas na chegada, eles encontraram as cabanas vazias, exceto pela casa de tesouros cheia de contas, peles e *pocone* – a tinta vermelha valiosa usada para pintar o corpo. O local era guardado por sacerdotes, e enquanto Opechanchanough falava com eles, Smith ficou surpreso ao ver as imagens de um dragão, de um urso, de um leopardo e de um gigante em forma humana que decoravam os quatro cantos do ambiente.

Evidentemente, os sacerdotes estavam dando conselhos ao líder. Smith ficou se perguntando se os selvagens ofereciam sacrifícios a seu Okee e se esse seria seu destino. Mas a noite passou depressa. O dia seguinte foi passado caminhando, e a noite seguinte em outro vilarejo. Em todos os lugares, ele era o assunto de maior interesse: guerreiros, mulheres e crianças se reuniram ao redor dele, tocaram suas roupas, puxavam sua barba e faziam perguntas.

O inglês os observava com o mesmo interesse. Ele notou que os homens usavam apenas calça e mocassins em uma única peça, e como eles estavam pintados em cores fortes, muitos usando símbolos ou representações rudimentares de algum animal que ele sabia ser o *manitou* deles. Ele observou as mulheres bordando e cozinhando, amaciando couros e tingindo peles, repreendendo e cuidando dos filhos. As cabanas eram fracas, ele viu, mas fortes e adequadas para seus ocupantes. Muitos dos jovens e moças faziam com que ele pensasse em cervos devido à rapidez dos movimentos e da rigidez de seus corpos.

Depois de muitos dias de viagem, nos quais Smith acreditou que eles estavam passando pelos mesmos lugares, eles se viram certa tarde às margens de um vilarejo maior do que qualquer outro em que eles tinham estado. Cães ladravam e crianças gritavam quando eles se aproximaram da paliçada, e homens e mulheres apareciam correndo de todos os lados.

Com certeza, pensou Smith, *estavam nos esperando. Nunca em um vilarejo inglês eu vi uma saboia com um urso amestrado causar mais comoção do que o Capitão Smith causou aqui.*

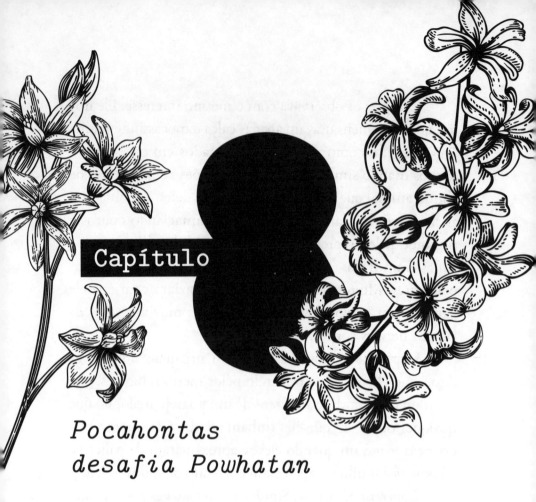

Capítulo 8

Pocahontas desafia Powhatan

— Princesa Pocahontas! – gritou Garra de Águia, enquanto apontava animadamente para a entrada do vilarejo. — Veja, aí estão seu tio e seus homens trazendo o prisioneiro branco com eles.

Pocahontas, que alguns momentos antes tinha descido do balanço da vinha onde estivera descansando para olhar dentro do saco de Garra de Águia e ver o que ele tinha conseguido caçar, agora partia correndo atrás do filho da velha Wansutis, que corria em direção à multidão que se reunia. Nunca na vida ela havia desejado algo com a força com que agora desejava ver aquele desconhecido.

— Como ele é? – perguntou ela, ofegante, para o garoto que ia antes dela. Mas sua pressa trouxe a resposta, pois em pouco tempo ela chegou à parte da frente do grupo. Ali, caminhando atrás de seu tio, solto e aparentemente despreocupado, ela viu o homem branco. Seus olhos devoraram cada detalhe da aparência dele. Ela quase ficou decepcionada quando viu que ele tinha apenas uma cabeça e dois olhos, como o resto das pessoas do mundo. Mas a barba, tão incomum entre os homens de seu povo, a juventude, que ficava mais aparente em seu corpo e modo de andar do que no rosto, o justilho de tecido e as botas de couro, mas acima de tudo, a cor estranha de seu rosto e mãos ofereciam novidade suficiente para satisfazê-la.

Smith notou a índia, já com treze anos, mais alta do que o comum para sua idade. Em suas andanças pelos vilarejos Pamunkey, ele tinha visto muitas meninas e mulheres índias, mas nenhuma delas parecia tão crescida nem com traços tão marcantes quanto aquela donzela que olhava fixamente para ele. Quando Opechanchanough, ao vê-la, fez um gesto de reconhecimento, Smith soube que ela devia ter algo de diferente, já que ele tinha notado ser incomum que um cacique percebesse alguém perto dele enquanto estivesse ocupado no que podia chamar de obrigação oficial. Agora ele tinha certeza de que suas viagens tinham chegado ao fim. Nas outras cidades pelas quais ele tinha passado, já tinha ouvido homens falando sobre Werowocomoco e do grande líder que tinha grande influência ali, o temido governante de mais de trinta tribos. Aquele grande vilarejo, ele sabia, devia ser o local do líder da Confederação Powhatan, e ele estava prestes a ser levado diante dele. Ele tentava imaginar o que aconteceria enquanto caminhava calmamente em meio à multidão que olhava para ele com curiosidade.

E isso era também o que Pocahontas estava pensando: o que seu pai faria com aquele homem? Será que seu estranho remédio, que aqueles que tinham ido para Jamestown tanto discutiam, poderia ajudá-lo nesse perigo? Ela tinha ouvido falarem muitas coisas, ultimamente, a respeito da necessidade de se livrar de todos os caras-pálidas que tinham ousado chegar e construir casas na terra que pertencia ao seu povo desde que o mundo era mundo.

Ali estava a primeira chance que seu pai tinha tido de lidar com os intrusos. Ela estava determinada a ver e a ouvir tudo o que ocorreria, por isso se apressou para ir até a tenda cerimonial, onde tinha certeza de que encontraria seu pai, e entrou ali sem ser abordada pelos guardas.

Já dentro, ela percebeu que a chegada do desconhecido tinha sido esperada; provavelmente, Opechanchanough havia enviado mensageiros antes, que ela não tinha visto. Todos os caciques estavam reunidos ali esperando, e também estava ali a Rainha de Appamatuck, a chefe de uma tribo aliada. Ela notou que seu pai, no meio de uma plataforma elevada no outro canto da cabana, usava o roupão mais caro de pele de guaxinim, aquele que ela havia bordado para ele. Todos os caciques estavam pintados, assim como as mulheres, com os ombros e faces manchados com o precioso *pocone* vermelho. Ela se lamentou pela falta de tempo para vestir sua nova saia de camurça e seu mais belo colar de contas brancas, já que aquela era uma ocasião importante. Do outro lado de Powhatan, estava uma de suas mulheres. E seus irmãos e tios Opitchapan e Catanaugh estavam agachados bem de frente

108 | VIRGINIA WATSON

para ele. Ela própria estava encostada na parede mais próxima da mãe de sua irmã Cleopatra. Ela se arrependia por não ter tentado levar Garra de Águia consigo, pois ele teria se interessado muito, mas era pouco provável que ele conseguisse passar pelos guardas, já que havia muitos idosos que seriam excluídos por falta de espaço.

Enquanto ela ainda olhava ao redor para ver quem eram os espectadores sortudos, a entrada da cabana estava escurecida e todos os guerreiros bradaram ao ver Opechanchanough entrar, seguido por seu prisioneiro.

Powhatan ficou em silêncio até Smith parar diretamente na frente dele, e então disse:

— Esperamos muitos dias e muitas noites por este momento, para receber o viajante do outro lado do mar.

Smith, olhando para ele, viu um homem forte à sua frente, com cerca de sessenta anos, cabelos grisalhos e postura de líder. Ele sorriu sozinho ao notar seu comportamento estranho, mas a postura daquele cacique selvagem, aquela dignidade inata de alguém consciente de seu poder, ele tinha visto em apenas uma pessoa – na Boa Rainha Bess!

— Eu tenho ouvido falarem muito de seu poder, grande chefe – respondeu ele, dizendo as palavras não familiares de modo lento e distinto.

Então, na pausa que ocorreu em seguida, a Rainha de Appamatuck deu um passo à frente e ofereceu a Smith uma tigela com água para que ele lavasse as mãos. Pocahontas se inclinou para a frente, curiosa, para ver se a água não tiraria um pouco da tinta das mãos dele, deixando-as da cor de suas próprias mãos, pois aqueles desconhecidos só podiam estar com as mãos *pintadas* de branco. Ela, inclusive, perguntou a Garra de Águia se era isso mesmo. Mas mesmo depois de Smith limpar os dedos nas penas de peru que a Rainha havia entregado a ele, as mãos continuavam na mesma tonalidade do rosto.

Quando Nautauquas deu ordens, os escravos começaram a levar os alimentos para o banquete. Um inimigo, por mais que fosse uma pessoa ou membro de tribo ruim, nunca deveria deixar de receber hospitalidade. Cestos e cuias foram enchidos com esturjão, peru, carne de veado, pão de milho, bagas e raízes de diversos tipos, além das xícaras de argila cheias de leite pawcohiccora feito de castanhas. Powhatan fez um gesto para que Smith se sentasse em uma esteira ao lado do fogo, e pegando o primeiro pedaço de carne de veado, o cacique o jogou às chamas, com era o sacrifício costumeiro a Okee. Então, ele foi servido de novo, e depois dele, todos os pratos foram oferecidos ao prisioneiro.

Eles pouco conversaram enquanto o banquete prosseguia. Pocahontas, que não comeu, não perdeu um só movimento do desconhecido.

Pelo menos, ela pensou, *ele vive de comida como nós*. E ela observou para ver se a carne se enroscaria em sua barba.

Por fim, todos comeram suas porções e os cães rosnaram e brigaram na disputa pelos restos, até serem afastados da tenda. Então, Powhatan começou a questionar seu prisioneiro.

— Você é um rei?

— Não, senhor – respondeu o inglês quando ele compreendeu a pergunta. — Mas sirvo a um homem que governa milhares de guerreiros.

— Por que você o deixou?

Smith estava prestes a responder que eles procuravam terra nova para aumentar os domínios da soberania, mas percebeu que aquele não era um momento favorável para tal afirmação.

— Nós partimos para dominar os inimigos de nosso rei, os espanhóis – respondeu ele, e com isso, ele não estava dizendo uma inverdade, porque a colonização em Virgínia tinha, como um de suas metas, a destruição dos assentamentos espanhóis no Novo Mundo.

— E por que vocês desembarcaram em minha terra e construíram cabanas em minha ilha?

— Porque estávamos desgastados depois de muito tempo no mar e precisando de alimentos frescos.

Pelo menos por um momento, Powhatan pareceu satisfeito com a explicação. Sua curiosidade em relação aos hábitos daqueles desconhecidos era quase tão grande quanto a de sua filha.

— Conte-me de seus costumes – ordenou ele. — Por que você usa essas roupas? Por que tem cabelos na boca? Por acaso você adora algum Okee? Qual é o poder de seus curandeiros? E como são capazes de construir canoas tão grandes com asas?

Smith se esforçou para deixá-lo satisfeito. Exagerou o poder de rei James, ainda que em sua mente, a soberania dele não pudesse ser comparada à dignidade majestosa desse selvagem, nem a bravura dos colonos, a boa sensação das roupas sedosas e a beleza das joias usadas pelos homens e pelas mulheres de sua terra. E lembrando-se de sua obrigação como cristão, ele tentou explicar os mistérios da fé cristã a esse bárbaro, mas ele considerava seu vocabulário desigual àquela exigência. Ele percebeu que estava impressionando quem o escutava. Quanto mais eles se impressionassem com seus poderes, maior era a

PRINCESA POCAHONTAS | 111

chance de eles temerem feri-lo. Opechanchanough falou com o irmão dele, contando sobre o relógio e a bússola. Powhatan os segurou com interesse, virou-os sem parar e os levou ao ouvido, tentando escutar algo que acreditava vir de dentro deles enquanto Smith explicava como eram usados.

— Gostaria de saber mais dessas coisas que trazem a morte dentro delas – disse o cacique de novo. — Sob que força elas agem? Um de nossos xamãs ou guerreiros não poderia fazer com que elas obedecessem a ele também?

Smith sabia que o medo que os índios sentiam das armas do homem branco era a maior proteção da colônia. Então, ele respondeu:

— Se meu senhor vier a Jamestown, como chamamos a ilha, já que não sabemos como vocês a chamam, verá armas muito maiores do que esta que trago comigo – disse ele, apontando seu revólver —, pois o senhor é um grande líder.

Essa resposta causou algo estranho em Powhatan. Ele falou depressa, usando palavras que Smith não conseguia entender, com alguns caciques à frente dele. Então, virando-se para Smith de novo, e falando num tom não mais curioso, mas frio e sério, ele perguntou:

— Quando vocês partirão nas canoas em direção à sua terra?

A pergunta que Smith temia tinha que ser respondida naquele momento. Havia perigo no que ele poderia dizer, mas também havia esperança de apaziguar os medos dos selvagens. De qualquer modo, uma mentira era inútil, ainda que ele conseguisse pensar em uma.

— A terra é grande, poderoso rei. Sua terra é grande e bela, com alimentos e espaço de sobra para muitas tribos.

Considere seus inimigos que moram no norte e no oeste, que invejam suas plantações de milho e seus campos para caça. Não seria vantajoso para vocês se nós, que nos apresentamos, tivéssemos a chance de, se o senhor preferir, *comprar* um pouco de sua terra e alguns campos no continente, e de nos juntarmos ao senhor e aos seus guerreiros na guerra contra seus inimigos, destruindo-os com nossas armas? Sejamos amigos e aliados, ó, Powhatan. Falarei com franqueza, como deve ser a conversa com um grande chefe, pois esta terra nos agrada e gostaríamos de ter parte dela.

O inglês não conseguiu decifrar o que se passava na cabeça do cacique em relação a sua proposta, pois o homem se mantinha inexpressivo – mas a primeira tentativa dos colonos de explicar a presença deles no domínio indígena tinha sido feita. Os gritos vindos de todos os lados da tenda assim que ele terminou de falar mostraram que os outros líderes estavam muito alterados com suas palavras. Houve uma longa consulta: Powhatan foi o primeiro a falar, e então um sacerdote de muitos anos, que foi ouvido com muita consideração e, em seguida, uma das mulheres mais velhas expressou sua opinião, que também parecia combinar com a dos guerreiros. Smith, sabendo que seu destino estava sendo decidido, tentou entender o sentido, mas eles falavam tão rápido que ele só foi capaz de compreender algumas frases. Por fim, no entanto, Powhatan ergueu a mão pedindo silêncio e deu uma ordem.

Era uma sentença de morte. Todos olharam para Smith. Bem, eles veriam como um inglês encarava a morte. Ele sorriu como se tivesse escutado boas notícias. Se apenas sua morte pudesse salvar a colônia, então, de fato, a mensagem era bem-vinda. Não que ele não prezasse por sua vida, mas era um daqueles homens a quem uma ambição, uma causa ou uma busca, era mais importante do que a vida. E devido a essa fraqueza, a sua dependência a ele, a colônia tinha passado a ser uma criança a quem ele deveria proteger.

Pocahontas, quando escutou o veredicto do pai, sentiu dentro do coração a mesma fraqueza sentida quando Garra de Águia passava pelo corredor de ataques. E quando viu o inglês sorrir, soube que ele era um bravo e, por algum motivo, sentiu pena dele. Sentia pena de si mesma também. Ele poderia ter contado a ela muitas novas histórias de terras e povos, muito mais interessantes do que aquelas de Michabo, a Grande Lebre. Ela teria ouvido tudo com interesse! Seu pai era um sábio líder e ele fazia bem em temer a presença daqueles homens brancos na terra deles, como ela o havia escutado dizer a seus chefes; mas por que ele mataria o líder deles, por que não mantê-lo para sempre como prisioneiro?

Ela viu que os escravos não esperaram nem um momento, e começaram a obedecer ao comando dado – estavam arrastando duas grandes pedras que há muitas luas não eram usadas. Elas foram posicionadas no espaço aberto à frente de Powhatan e ela sabia exatamente o que viria em seguida.

Havia uma maneira de escapar?, John Smith perguntava a si mesmo. Se tivesse pelo menos uma bala no revólver, teria atirado no cacique e esperado que a confusão causada permitisse a ele tempo suficiente para passar pela multidão e sair dali. Mas o revólver estava descarregado. Não havia por que relutar, pensou. Já tinha visto homens que tinham morrido de modo nada cortês e não pretendia ser um deles. Por isso, quando dois guerreiros jovens o agarraram após a ordem de

Powhatan, ele não resistiu. Eles o jogaram no chão, e então ergueram sua cabeça até as pedras, enquanto outro selvagem, com um machado na mão, aproximou-se para se posicionar ao lado dele.

Bem, pensou John Smith, *a vida acabou. Viajei muito para ter esse fim. O que acontecerá com Jamestown? Pelo menos, não fracassei. Fico feliz por isso.*

Ele viu Powhatan inclinar-se para a frente e dar um sinal; então, o rosto pintado de vermelho de seu executor apareceu à sua frente, e quando ele viu o machado indígena descer, fechou os olhos instintivamente.

Mas o machado *não* desceu. Depois do que pareceu uma hora de suspense, ele abriu os olhos de novo e viu que não tinha acontecido. O homem que o segurava parado no ar olhava impacientemente para o cacique, e aos pés dele, estava ajoelhada a moça que Smith tinha visto perto da paliçada. A garota implorava pela vida dele, ele notou. Então, aqueles selvagens tinham familiaridade com sentimentos como piedade, e qual motivo ela tinha para sentir isso por ele?

Mas o cacique não quis ouvir aos pedidos dela e a mandou embora, irritado. A voz dele era assustadora e as outras mulheres, temendo que a ira dele fosse despejada na menina, tentaram puxá-la para que se sentasse ao lado delas. Powhatan assentiu para que o executor acatasse sua ordem.

De repente, Pocahontas saltou até o corpo de Smith, colocou a cabeça dele em seu colo e aproximou a própria cabeça da dele. O machado havia parado a um milímetro de distância dos cabelos pretos dela, tão perto que o índio que o empunhava mal conseguiu respirar com medo de ter ferido a filha de Powhatan.

Por um momento, todos que observavam com ansiedade pensaram que o cacique, furioso com aquela desobediência, fosse dar a ordem para que as duas cabeças fossem cortadas. Fez-se silêncio, e as pessoas no fundo da cabana foram para frente, para não perder o que estava prestes a acontecer. E então, Powhatan falou:

— Levante-se, Matoaka! E não ouse interferir em minha justiça!

— Não, pai – gritou Pocahontas, erguendo a cabeça enquanto os braços envolviam o pescoço de Smith de maneira protetora. — Peço ao senhor direito sobre este homem. Assim como Wansutis adotou Garra de Águia, eu adoto este cara-pálida em nossa tribo.

Todo mundo começou a falar ao mesmo tempo: *"Ela quer satisfazer uma vaidade"*, *"Ela tem direito"*, *"Se ele viver, como ficaremos seguros?"*, *"Desde que nossos ancestrais vivem aqui, isso nunca foi permitido a uma mulher!"*.

Powhatan disse com seriedade:

— Você pede direito sobre ele de verdade, Matoaka?

— Sim, meu pai, eu peço. Não o mate. Permita que ele viva entre nós e ele fará machadinhas, sinos e contas, e coisas de cobre para mim. Veja, esse roupão eu fiz para que o senhor se lembrasse do amor que sente por mim, e eu peço por esse amor.

— Que assim seja – respondeu o Powhatan.

Pocahontas ficou de pé e, segurando Smith pela mão, ajudou-o a se levantar. E ele, surpreso com aquela atitude, sem entender como tudo havia acontecido.

Capítulo 9

A carcereira de Smith

Na manhã seguinte, Garra de Águia, ao passar na frente da cabana reservada ao prisioneiro, viu Pocahontas sentada no chão na frente dela.

— O que faz aqui? – perguntou ele. — E onde estão os guardas?

— Eu os mandei para a cama assim que o Sol voltou – respondeu ela, olhando para o jovem alto ao lado dela. — Posso cuidar dele durante o dia.

— Você já o viu? Quero saber como ele é. Eu só o vi ontem, rapidamente.

— Ele ainda está dormindo. Espiei pelas frestas da cobertura de casca de árvore aqui e o vi deitado com todas aquelas roupas estranhas. Estou ansiosa para que ele acorde; tenho muitas perguntas para fazer a ele.

— Também quero dar uma olhada – pediu o garoto.

Pocahontas assentiu e fez um gesto delicado em direção à entrada da cabana. Ela gostava de fazer favores, e Powhatan às vezes sorria quando notava como sua maneira de agir era parecida com a de sua filha.

Com o mesmo cuidado com que observava um veado na mata, Garra de Águia caminhou, apoiado nas mãos e nos joelhos e, assim, entrou na cabana. Deitado de bruços, ele espiou o inglês. Ele havia escutado falarem muito sobre seu resgate dentro da tenda cerimonial da noite anterior. Quem contava as coisas a ele se dividia em opiniões: alguns viam a decisão de Powhatan como um perigo a todos eles, e outros defendiam a ideia de que aqueles caras-pálidas tinham que ser temidos por guerreiros, como os Powhatans. Mas Garra de Águia não se deixou convencer; cada um dos desconhecidos brancos tinha que ser morto rapidamente. Sua lealdade a sua tribo era tão grande quanto seria se seus próprios antepassados estivessem ali, presentes. Ele sentia muito que Pocahontas, por mais que gostasse dela, tivesse convencido seu pai a salvar a vida do primeiro dos caras-pálidas que tinha sido dominado. Ele acreditava que o próprio Powhatan agora se arrependia por ter se deixado levar pelo afeto e por um costume antigo, e ele gostaria de ver o inimigo morto para que a notícia chegasse até seus compatriotas e servisse de aviso do destino que aguardava todos eles.

Então, algo lhe ocorreu, e ele supôs que ele, Garra de Águia, tinha que tornar esse desejo realidade! Powhatan nunca puniria quem cometesse o ato.

Ele se aproximou ainda mais do homem adormecido, tirando a faca da bainha. Dentro da cabana, não se ouvia nenhum som além dos murmúrios de Pocahontas; mas algo, uma sensação de perigo, despertou o inglês. Pelos olhos semicerrados, ele viu o corpo vermelho avançando lentamente na terra vermelha sobre a qual se movimentava. Somente quando o garoto estava perto o suficiente para tocá-lo com a mão esticada, Smith abriu bem os olhos. Ele não se mexeu, não gritou, mas viu a faca nos dedos compridos e finos – e só precisou olhar com seriedade para o rosto do menino. Garra de Águia tentou atacar, mas com aqueles olhos destemidos sobre ele, não conseguiu mexer o braço.

Lentamente, como tinha chegado, ele engatinhou de volta à entrada, incapaz de virar a cabeça para a direção oposta à do homem que o observava. Só quando saiu ao ar livre de novo, foi capaz de respirar profundamente.

— Ele dorme bastante – foi seu comentário.

— E sem dúvida, também come bastante e vai estar com fome quando acordar. Pode passar por nossa cabana, Garra de Águia, e pedir para que tragam comida para ele?

Ele fez o que ela pediu, e logo depois, as mulheres chegaram com pratos de argila cheios de pão e carne. Elas espiaram pelas frestas com curiosidade, até Pocahontas repreendê-las. Ao ouvir um barulho dentro da cabana, ela estava prestes a levar a comida para dentro quando Smith apareceu na entrada.

Ele ficou surpreso ao ver o tipo de sentinela que eles tinham designado para cuidar dele. Ele pensou que seu convidado inesperado estaria esperando do lado de fora para tentar acabar com sua vida, e preferiu adiantar o momento. Mas notou que aquela moça seria tão eficiente como carcereiro quanto um bando de guerreiros. Se ele sonhasse em escapar, de encontrar o caminho até Jamestown sem guias e sem sua bússola, o grito dela faria com que todo o vilarejo partisse para ajudá-la. Ele reconheceu sua salvadora antes e se inclinou a ela, uma reverência para a princesa e sua protetora. Pocahontas, apesar de a saudação europeia ser estranha para ela, assim como os modos indígenas eram estranhas para ele, teve certeza de que o modo cerimonioso dele pretendia honrá-la, e o recebeu com seriedade e graça.

— Aqui está o alimento para ti, Cacique Branco – disse ela, colocando-o em uma esteira que tinha estendido no chão —, sente-se e coma.

— Obrigado – respondeu ele —, mas primeiro, me escute. Não tenho palavras na sua língua, princesinha, para pagar a você pelo grande presente, e ainda que minhas palavras fossem tão abundantes quanto os grãos de areia na praia, ainda assim seriam poucas.

— Presentes feitos a caciques – respondeu ela com uma dignidade imitada de seu pai — não podem compensar benefícios nobres.

Smith não conseguiu não sorrir ao notar a grandiloquência da língua da moça, pois apesar de sua altura, ele notou que ela era muito jovem.

— Mas – continuou ela, sentando-se —, me alegra receber seu agradecimento.

Ela agora deixava de lado a postura de adulta, e seus olhares curiosos eram os da criança que ela era. Ela tocou com delicadeza a manga do casaco dele, manchada pela água do pântano do qual ele tinha sido retirado, rasgado pelas roseiras bravas pelas quais ele tinha sido arrastado.

— Esse é um bom tecido inglês – comentou ele —, que sobreviveu a uma tempestade, e eu agradeço ao carneiro de onde ele veio.

— Que animais são esses? – perguntou ela, e Smith passou a explicar os vários usos e a aparência dos carneiros.

— Suas mulheres fizeram esse casaco para você depois de você matar... matar esse bicho novo?

— Não tenho mulher, princesinha.

— Fico feliz – disse ela, suspirando.

— E por quê?

— Não sei. – Ela enrugou a testa como se tentasse entender seus sentimentos. — Talvez porque agora você não vai voltar para ela e não vai sair daqui, onde estamos.

— Mas preciso sair daqui logo, mocinha. Meu povo em Jamestown me espera.

Ele disse isso para tentar entender qual era a intenção de Pocahontas em relação a ele. Agora que sua vida estava salva, ele pensava na liberdade.

— Você não vai embora – gritou ela, levantando-se. — Você pertence a mim e é minha vontade mantê-lo aqui para me contar histórias do mundo além do nascer do sol e fazer novos remédios para nós. Não deve ir embora.

— Que assim seja, então – disse Smith, com um tom de voz que ele tentou manter o mais neutro possível. Ele suspirou ao pensar em seus amigos em Jamestown, doentes, com fome, e agora, sem dúvida, pensando que ele estava morto. Talvez, se ele desse tempo ao tempo, encontraria uma maneira de se comunicar com eles. Enquanto isso, ele teria que ser político e interessado para fazer amizade com aquela moça selvagem e intensa.

Como ele não tentou se opor, Pocahontas voltou a se sentar ao lado dele. Já havia pessoas reunidas ali: guerreiros, mulheres e crianças se aglomeravam, observando o cara-pálida comendo. Smith tinha aprendido, desde que se tornara cativo, o valor que os índios davam a uma atitude impassível, por isso ele continuou cortando pedaços de carne e mastigando-os sem dar atenção às pessoas ao seu redor, como o próprio rei James sabia fazer quando fazia uma refeição sozinho em Guildhall. Mas pela presença de Pocahontas, cujo direito sobre o cativo era respeitado por todos, eles teriam se aproximado ainda mais. Mas um garoto se colocou atrás dela e puxou a barba de Smith. Pocahontas mandou que ele se afastasse e disse, como forma de se desculpar:

— Não se irrite, ele queria saber se estava preso ao seu rosto.

Ela tinha a mesma curiosidade do menino em relação à barba. Poderia ser um tipo de adorno colocado por ele antes da guerra, como seu próprio povo se preparava, em ocasiões especiais, com máscaras pintadas?

Smith puxou a própria barba com as duas mãos, sorrindo, e as pessoas começaram a rir. Eles entendiam piadas, aparentemente, e ele ficou feliz ao ver que pareciam simpáticos a ele, pelo menos por um momento. Um dos homens mais velhos apontou o bolso de seu justilho e perguntou o que tinha ali dentro. Bússola e relógio não estavam mais ali, mas Smith enfiou a mão mesmo assim na esperança de encontrar algo que pudesse ter esquecido e que fosse interessante a eles. Tirou um lápis e um pequeno caderno. Escreveu algumas palavras e as entregou a Pocahontas, dizendo:

— Estas são palavras. Se alguém as levasse a Jamestown, elas falariam com meu povo de lá e eles entenderiam o que estou dizendo em Werowocomoco.

Pocahontas balançou a cabeça, assim como aqueles a quem ela passou a folha. A desconhecida poderia fazer coisas incríveis, mas seu domínio sobre ele ultrapassava os limites até mesmo do poder do maior xamã.

Mas Smith, determinado a mantê-la pensando na possibilidade de seu retorno a Jamestown, continuou:

— É possível para mim, na verdade, Princesa. E se quiser me acompanhar, eu mostraria coisas incríveis a você.

— Não – disse ela, irritada —, você não deve ir lá. Você é meu e faz o que eu quiser. Não é assim? – perguntou ela às pessoas ao redor.

Todos eles gritaram afirmando, confirmando a crença de Smith de que seu destino tinha sido colocado nas mãos de uma menina. Não era a primeira vez que algo assim acontecia a ele; uma vez antes, uma mulher tinha sido sua carcereira, e mais uma vez, ele decidiu ir com calma. Respondeu às diversas perguntas feitas a ele da melhor maneira possível, a respeito do número de dias que havia ficado com os Pamunkeys, sua captura e por que tinha se separado de seus amigos. Por sua vez, ele fez a eles perguntas sobre a colheita, o tempo e o método de plantio, além da lua do amadurecimento do milho – mas os índios mostravam claramente que eles gostavam mais de perguntar do que de responder.

Conforme o dia avançou, a multidão começou a se dispersar. O cativo sempre estaria ali quando eles desejassem vê-lo, mas precisavam caçar e cozinhar, e alguns dos meninos já tinham se afastado para fazer a brincadeira sempre fascinante de lançar pedras longe. Por fim, apenas Pocahontas ficou com o prisioneiro.

Smith olhou ao redor para ver quais eram as chances de escapar se por acaso ele tentasse correr de repente, mas ao ver alguns guerreiros em uma cabana a cerca de trinta metros, ocupados afiando as pontas das lanças, ele se acalmou de novo.

— Diga, Chefe Branco – disse Pocahontas enquanto acendia um cachimbo que havia enchido com tabaco e o entregou a Smith —, conte-me sobre você e seu povo. Vocês são realmente como nós? Vocês morrem como eu ou vocês têm remédios para preservar a vida para sempre, como Okee? Vocês conseguem se transformar em animais quando querem? Eu também gostaria de saber como fazer isso.

Smith olhou de modo crítico para a menina que estava sentada em uma esteira ao lado dele. Ele nunca tinha visto uma garota que tinha tanto interesse pela vida. Em sua ânsia pelo milagroso, ele reconheceu algo parecido com o amor que ele próprio sentia pela aventura e o desejo que sentia para explorar novas terras e testar novos caminhos. Ela não podia atravessar o mar em busca deles como ele havia feito – *ele* era a grande aventura dela, ele notou, um livro personificado de histórias estranhas para avivar sua imaginação, como a dele tinha sido estimulada na infância por histórias do reino de Prester John, do El Dorado, do Império Espanhol e da Colônia Perdida de Raleigh. O tabaco, que ele tinha aprendido a fumar em seu tempo com os Pamunkeys, o acalmava; ele não corria perigo imediato; o sol quente estava agradável e a menina de olhos brilhantes ao lado dele era uma plateia favorável. Ele sempre gostava de falar, de reviver os acontecimentos pitorescos que tinham tomado seus vinte e oito anos, e assim, ele foi falando, repassando rostos e cenas de muitas terras, mas nenhuma delas era mais estranha do que o espaço que o cercava naquele momento. A única dificuldade era seu vocabulário insuficiente; mas sua mente era rápida e atenta e cada nova palavra, que uma vez capturada, saía por sua insistência. Além disso, Pocahontas ouvia, atenta. Ela adivinhava muito do que ele não conseguia expressar e o ajudava com gestos e frases.

— Princesa – ele começou, quando ela interrompeu:

— Pode me chamar de Pocahontas, como faz meu povo. Talvez um dia eu te diga qual é meu outro nome.

— Pocahontas, então – repetiu ele lentamente, gravando o nome em sua memória. — Somos apenas homens, assim como seu povo, sujeitos ao frio e à fome, doenças e morte. Ainda assim, como Deus, nosso Okee, é maior do que seu Okee, então nosso poder e nosso remédio são superiores ao do poderoso Powhatan e seus xamãs. Você pediu contos da terra de onde eu venho. São muitos, e como as folhas da floresta, não consigo contá-los. Não conseguiria contar nem metade deles, mesmo se ficássemos aqui até você se tornar uma velhinha enrugada – disse ele, apontando a Wansutis, que passava ali perto. — Então, se você quiser, posso contar alguns assuntos que afetaram seu cativo.

Pocahontas assentiu, aprovando.

— Nossa terra, a linda Inglaterra, localizada em um mar turbulento, é um reino poderoso que fica a muitos, muitos dias de viagem daqui. Lá, todos os homens e mulheres são tão brancos quanto eu, muito desgastados pelo clima, assim como são muitos os reinos que se estendem mais em direção ao nascer do sol. Nossa terra, agora governada por um rei que tem domínio sobre centenas de tribos, estava, há poucos anos, sob o domínio de uma poderosa princesa.

— Ela era bela? – perguntou Pocahontas.

Smith hesitou. O glamour que já tinha envolvido a "Boa Rainha Bess", tampando os olhos de seus leais súditos desde sua morte, tinha sido um pouco desfeito. Ele pensou no rosto sério, nos cabelos claros, no nariz alongado e nos olhos pequenos – mas ele tinha uma visão dela como seus olhos de garoto a viram pela primeira vez, soberana, montada em um cavalo branco diante da multidão reunida para receber as forças da Invencível Armada, vindas para desafiar seu domínio.

— Não era bela – respondeu ele —, mas uma grande líder dos homens!

Ele suspirou brevemente, relembrando, e continuou:

— Eu nasci há alguns anos, em uma parte de nossa ilha chamada Lincolnshire, uma área baixa e pantanosa em certos lugares como aquele no qual seu tio me fez prisioneiro. Mas é uma terra que amo, apesar de ter se tornado pequena demais para mim. Quando eu atingi idade suficiente para ser um guerreiro, minhas mãos mal podiam esperar para lutar contra nossos inimigos. Então, enfrentei a guerra contra nossos inimigos na França e na Holanda. Depois, quando já tinha lutado por muitas luas e já tinha fama como guerreiro, senti o desejo de voltar para meu lar. Vivi ali por um tempo, e então parti mais uma vez para percorrer por muito tempo uma terra chamada Itália, e passei a servir um grande cacique, o Imperador Rodolfo, para lutar por ele contra as tribos de seus inimigos, os Turcos. Não consigo explicar a você, Princesa, como eles são diferentes de nós; talvez os modos deles sejam mais parecidos com os seus, já que eles não são dados à misericórdia e têm muitas mulheres; mas deixemos isso de lado. Eu lutei contra eles com força e com frequência, e um dia, diante dos dois exércitos que interromperam o combate, eu matei três dos grandes guerreiros deles, e por isso o Imperador me permitiu ter brasões com Três Cabeças Turcas. Ou seja, foi como se um de seus nobres pudesse costurar em sua veste três escalpos de inimigos mortos por ele. Mas logo depois disso, eu fui feito prisioneiro por esses Turcos e vendido como escravo.

— Ah! – reagiu Pocahontas. Pela primeira vez na vida, ela estava conhecendo aventuras.

— Fui entregue como escravo a outra princesa, Tragabizzanda, na cidade da Constantinopla; então, fui mandado à Tartária, onde fui cruelmente abusado. Um dia, fui parar nas mãos de Bashaw de Nolbrits, que me maltratou, e eu o matei. Eu vesti suas roupas e fugi para o deserto, e por fim, depois de muitas aventuras estranhas, cheguei de novo a uma terra onde tinha amigos. Então...

— Conte-me da princesa – interrompeu Pocahontas. — Ela também maltratou você?

— Não, na verdade, ela foi muito gentil comigo – respondeu Smith, com os olhos brilhando ao se lembrar da moça turca que o havia ajudado. — Ela era muito bela, com roupas bonitas e muitas joias – disse ele, pensando que a deixaria interessada com a descrição da riqueza —, e eu devo muito a ela.

— Ela era mais bonita do que eu? – perguntou Pocahontas, franzindo o cenho.

— Ela era muito diferente – respondeu o inglês. Era praticamente impossível para ele pensar nos selvagens como sendo humanos de verdade, incomparáveis até com os turcos. Mas ele não pretendia ferir os sentimentos daquela que havia feito tanto por ele. — Ela era uma mulher adulta – disse ele — e assim, não pode ser comparada com você, que é tão jovem.

— Não sou criança! Sou uma mulher! – gritou Pocahontas, levantando-se furiosa e correndo como um redemoinho em direção à floresta.

John Smith olhou na direção dela com desânimo. Se tivesse magoado a única amiga que tinha ali, então estaria perdido!

Capítulo 10

A cabana na mata

Smith não conversou com Pocahontas pelo resto daquele dia nem no seguinte. Ela aparecia acompanhada por índias e crianças, todos dispostos a ajudá-la como desculpa para observar o cara-pálida de perto. Mas ela colocava a comida ao lado dele e não se demorava.

No meio do segundo dia, Smith percebeu que já não despertava tanto interesse. Todo mundo em Werowocomoco já tinha passado para vê-lo e os caciques mais velhos já tinham parado para falar com ele, mas o inglês não conseguia descobrir qual era a opinião deles a respeito de sua chegada ou de seu futuro. Agora parecia haver algo acontecendo que chamava a atenção dos guerreiros que se reuniam diante da cabana comprida. O cativo se perguntava se podia ser algo relacionado a seu destino. As crianças também tinham encontrado outros interesses. Ele as via, seus corpos vermelhos brilhando ao sol, brincando com cachorros ou fingindo serem um grupo de guerreiros entrando em um país hostil. Smith não as viu se divertir em espiá-lo pela abertura da cabana, mas sim com medo quando ele tentou fazer amizade.

Ele se recostou na lateral da cabana, observando duas índias não muito longe dali, que estavam tingindo couro de cervo e cortando-o em tiras. Ele tentou imaginar se chegaria o dia em que ele veria uma mulher branca costurando ou mexendo em um tear.

Ele viu Pocahontas sair da cabana, mas em vez de seguir na direção dele, ela correu em direção às cabanas que margeavam a floresta e, em pouco tempo, desapareceu de vista. Ele não viu que um jovem índio, surpreso ao vê-la naquela parte do vilarejo, onde ela não costumava passar, foi ao encontro dela.

— Wansutis está perto da casa dela? – perguntou Pocahontas.

— Está – respondeu Garra de Águia, e caminhou ao lado dela sem dizer mais nada.

O coração de Pocahontas batia um pouco mais rápido do que o normal. Wansutis ainda causava uma sensação de surpresa e desconforto na corajosa moça; ela não conseguia evitar um tipo de terror na presença dela. Mesmo assim, ela tinha se convencido a pedir ajuda à senhora.

Garra de Águia, por mais que preferisse morder a própria língua a admitir sua curiosidade, era o mais motivado a saber o que tinha levado a filha de Powhatan à cabana de sua mãe adotiva. Ele entrou ali com Pocahontas e fingiu estar ocupado com a corda de alguns arcos para poder ter uma desculpa para permanecer por perto.

— Wansutis – começou Pocahontas, de pé ao sol na entrada, direcionando-se à senhora que estava sentada e fumando na parte mais escura da cabana —, você conhece todas as ervas dos campos e das florestas, aquelas que ajudam e as que causam males. Não é?

A senhora enrugada olhou para a frente com um sorriso nos lábios, e disse:

— Então, a Princesa Pocahontas procurou a velha Wansutis para aprender a fazer uma poção de amor.

— Não! – exclamou a garota, irritada, e se aproximou mais. — Não é isso. Quero algo muito diferente de você. Quero ervas que façam um homem se esquecer.

— A mesma erva nos dois casos – disse a mulher. — E para quem você pretende fazer o chá? Para seu filho adotivo, apesar de você não ser uma mulher e ainda ser muito jovem para ter um filho? Não tenho erva para isso, moça, e se tivesse, teria dado a Garra de Águia para que ele bebesse. Fale para ela, filho, conte a ela se um homem consegue se esquecer.

Pocahontas lançou um olhar curioso a ele e o jovem guerreiro respondeu:

— Meus pensamentos são ótimos e rápidos viajantes, Pocahontas. Eles fazem grandes viagens ao passado, até o povo de meu pai e de minha mãe. Eles caminham por velhos caminhos nas florestas e encontram velhos amigos em acampamentos incendiados. Mas, como caçadores cansados que procuraram presas o dia todo e voltam para suas cabanas à noite, os meus se voltam em gratidão por Wansutis. Porque ela não tentou tirá-los dos meus caminhos do passado, assim como não me amarrou a sua cabana para impedir que eu saísse.

— E se ela não tivesse deixado você livre, o que você teria feito? – perguntou Pocahontas. De repente, o cativeiro e os cativos se tornaram coisas extremamente interessantes para a menina.

— Não sei, Princesa – respondeu o garoto depois de pensar um pouco —, mas se meus pais não estivessem mortos, tenho certeza de que teria procurado escapar para voltar para eles, mesmo que seu pai colocasse todos os guardas em alerta no vilarejo. Mas eles não estão mais vivos, e nossa casa distante está vazia. Por isso, meu coração se acalma na casa nova e eu obedeço à minha nova mãe com alegria.

— É tão difícil assim esquecer uma cabana e seus costumes antigos? – perguntou a menina. — Eu imagino que cada dia entre desconhecidos seria o começo de uma nova vida, que seria agradável saber que eu não poderia imaginar o que ocorreria antes do anoitecer. – Ela continuou, olhando com interesse para a mulher e para o jovem. — Por que esse cara-pálida desejaria voltar para a ilha onde eles adoecem e morrem de fome, sendo que aqui existe comida em abundância?

— Espere até você ficar entre desconhecidos, longe de seu povo – disse Wansutis, com seriedade.

— Então não há poção que faça esquecer para me dar? – perguntou Pocahontas, hesitando na entrada, para onde ela tinha recuado. Mas a senhora não respondeu, e Pocahontas se afastou lentamente, meditando enquanto se afastava. Enquanto isso, Garra de Águia, com o arco na mão, a observava.

Havia escurecido e John Smith, com as pernas dormentes por ter permanecido sentado durante tanto tempo, esticou o corpo ao lado do fogo dentro da cabana no qual ele havia jogado alguns gravetos, e as chamas, que tinham diminuído, voltaram a se atiçar. O estalar era agradável de ouvir, parecia que falava com palavras em inglês sobre o seu lar, diferente das palavras de ódio que ele tinha escutado por muitas semanas. Não só era uma companhia, como também era proteção. Enquanto ardia, podia ser controlado e apagado, mas pelo menos ele conhecia seus inimigos. Ele sentia falta de Pocahontas porque ela não estava mais tão presente, não porque sua ausência significasse falta de segurança para ele. A gratidão não era o único motivo para ele se interessar por ela: para ele, ela parecia ser a criatura mais livre e esperta que ele já havia visto, tão parte da natureza quanto um esquilo ou uma ave. Como todos os ingleses cultos de sua época, ele já tinha lido muitos livros e poemas a respeito de pastoreio em Arcadia e sobre princesas de reinos encantados, mas nenhum escritor, nem mesmo o grande Spencer ou Sir Philip Sidney, imaginava uma criatura tão livre e selvagem quanto aquela moça índia.

Seus pensamentos foram interrompidos pela entrada de dois índios.

— Viemos – disseram eles — a pedido de Powhatan para levar você à cabana dele, na mata.

Ele não sabia o que essa ordem significava, mas estava feliz porque, independentemente do que acontecesse, a monotonia de seu cativeiro estava acabada. Levantou-se depressa e os seguiu pelo vilarejo, e de cada cabana saía a fumaça pelo centro, em direção ao céu escuro. Dentro de algumas das cabanas, ele conseguia ver o fogo e as famílias sentadas ao redor dele, comendo antes de se deitarem para dormir.

Eles deixaram as paliçadas de Werowocomoco para trás e foram para a floresta, até uma cabana tão grande quanto aquela para a qual ele tinha sido levado para ver Powhatan.

Mas aquela era diferente na disposição dos itens. Era dividida em duas partes, separadas por esteiras escuras penduradas que não permitiam a passagem da luz. Para dentro do pequeno cômodo, Smith foi levado, e ali os dois índios, depois de acenderem o fogo e jogarem lenha para alimentá-lo, o deixaram sozinho.

Mas Smith se viu como o único ocupante do local por pouco tempo. O som de passos arrastados, apesar de suaves, indicou a presença de algumas pessoas do outro lado da esteira. Os ouvidos dele, suas únicas sentinelas, indicavam que os inimigos invisíveis tinham se sentado e então, depois de um curto silêncio, ele ouviu uma voz começar a cantar baixo, de um modo esquisito. Ele não entendia as palavras, mas pelo chacoalhar monótono de um chocalho e os passos que pareciam estar se movimentando numa dança sem parar, de um lado da cabana a outro, Smith tinha certeza que se tratava de um xamã começando o canto para uma cerimônia sagrada.

E então, uma a uma, as diferentes vozes se uniram, dando gritos assustadores, e o chão tremia com o bater de muitos pés. Os sons bastavam para assustar o coração mais forte, e Smith não tinha dúvida de que a canção deles celebrava a morte dele, que estava por vir. Ele pensou que talvez

Powhatan tivesse apenas fingido concordar com o pedido da filha, planejando, desde o início, acabar com a vida dele. E quando o garoto, que sem dúvida tinha sido mandado por ele, não conseguiu fazê-lo, ele provavelmente tinha determinado matá-lo ali. Ou talvez Pocahontas, agora irritada com ele, tivesse deixado de pedir por sua vida e passado a concordar com a vingança do pai.

O barulho ficou mais alto e mais assustador, e o inglês viu o canto da esteira começar a se mexer, a se avolumar como se um homem estivesse encostado ali. Em seguida, ele viu a esteira ser levantada e uma criatura das mais assustadoras entrou – a mais assustadora que Smith acreditava existir. Pintada de vermelho, com o peito tatuado em preto, sem roupa, usando apenas um enorme cocar de pena, conchas e contas, ela se endireitou. Uma máscara horrorosa, distorcendo seus traços humanos, cobria seu rosto, e um saco de ervas feito com pele era levado em suas costas, pendurado em um dos braços, como a mão seca de um inimigo morto. Por sua altura e apesar da máscara, Smith reconheceu Powhatan, e ele se endireitou com orgulho para enfrentar seu destino.

Atrás do cacique, estavam agora os outros guerreiros e caciques, duzentos, no total, e todos com máscaras que os tornavam assustadores, assim pensou John Smith, como uma tropa de demônios do inferno.

Para sua surpresa, eles não o atacaram e, quando gritaram, Smith até pensou ter ouvido a palavra "amigo". Powhatan se aproximou e disse:

— Não tema, meu filho. Não viemos lhe fazer mal. A cerimônia que você escutou era para chamar Okee, para ele testemunhar a amizade que juramos existir aqui. Daqui pra frente, somos como uma única tribo. Você não é mais um prisioneiro, é livre para ir e vir como seus irmãos, e até voltar para seus companheiros na ilha se assim quiser. Quando você chegar lá, mande de volta para mim duas daquelas armas grandes que cospem fogo e morte, de modo que meu nome possa se tornar um terror ainda maior a meus inimigos. E envie a mim também um rebolo, como aquele sobre o qual me contou, para que minhas mulheres possam usá-lo para amassar milho. Não peço esses presentes por nada. Um grande chefe sempre retribui. Assim, dou a você sua própria terra chamada Capahosick, onde você pode viver e construir sua cabana e levar uma índia para habitar os campos com você. Além disso, eu, Powhatan, eu, Wahunsunakuk, terei você como meu próprio filho a partir de hoje.

Foi difícil para Smith, enquanto ouvia tudo aquilo, não demonstrar surpresa. Primeiro, sentiu alívio por saber que não seria morto imediatamente, e então, a maravilhosa notícia de que ele estava livre para ir a Jamestown. E se Powhatan e seu povo tinham jurado amizade a ele, isso não significava que, através dele, a colônia seria salva? Ele desejava saber o que havia causado aquela mudança repentina em seu destino, mas ele não podia perguntar. De modo firme como o do cacique – muito diferente de sua aparência – e com as melhores palavras escolhidas, ele expressou seu agradecimento.

— Agradeço, grande Powhatan, por suas palavras de gentileza e pelas boas notícias trazidas a mim. Se o senhor será um pai para mim, eu serei um filho ao senhor, e deve existir paz entre Werowocomoco e Jamestown. Se mandar homens comigo para me guiar, eles voltarão com presentes para vocês.

Powhatan deu certas ordens e doze homens se apresentaram e deixaram de lado as máscaras, anunciando que estavam prontos para acompanhar o cara-pálida. Smith não tinha imaginado que poderia partir naquela noite, mas estava tão disposto a partir que não perdeu tempo com despedidas.

Eles partiram pela floresta que, a princípio, não era densa, e margeando-a, havia clareiras onde o milho do verão havia crescido. As árvores passaram a ser mais numerosas e unidas, e Smith não conseguia mais ver caminho entre eles, mas seus guias seguiram depressa e sem hesitar, apesar de a noite estar escura. Havia seis índios na frente dele e seis atrás. Eles nada falaram, só se ouvia o som abafado das botas do inglês e seus passos sobre as pedras quebravam o silêncio. Havia pouca chance de um inimigo se aproximar do acampamento dos Powhatan, mas os índios observavam cautelosos, de qualquer forma.

Para John Smith, havia algo fantasmagórico naquela excursão pela noite, por um país desconhecido e com homens desconhecidos. Ele não conseguia parar de imaginar se tinha compreendido corretamente tudo o que Powhatan havia dito, ou se ousava acreditar que ele tinha falado sério, ou se o cacique pretendia, na verdade, matá-lo na mata, longe de qualquer um que falasse a seu favor. Ainda que o líder estivesse sendo sincero, não era impossível que outros da tribo tivessem planejado matar o homem branco, cuja vinda e permanência eram demais para eles entenderem. Apesar de estar pensando tudo isso, ele seguiu caminhando, aparentemente sem se preocupar, como se estivesse caminhando pela estrada do rei perto de Lincolnshire.

O urro de algum animal, talvez um gato-selvagem, fez com que o grupo parasse e eles sussurraram conversando. O som podia, de fato, vir de alguma fera, Smith sabia disso; por outro lado, talvez fosse um sinal dado por inimigos dos Powhatans ou o chamado de outro grupo de sua tribo prestes a se unir a eles. Se fosse o caso, ele estaria em apuros. Pegou uma faca que tinha conseguido esconder em Werowocomoco. Ele não conseguia ouvir o que os índios estavam dizendo, mas eles discutiam, isso era evidente. Então, quando eles aparentemente chegaram a uma decisão, começaram a avançar de novo.

Apesar de a floresta estar sombria, os olhos de Smith tinham se acostumado com a breu, e logo ele começou a distinguir entre os diversos tons de escuridão. Uma ou duas vezes, ele pensou ter visto de soslaio uma outra figura, movendo-se ou parando conforme eles paravam, mas quando ele olhou fixamente, não viu nada além do tronco de uma árvore grande.

Eles seguiram sem parar, acompanhados por corujas e outras aves noturnas, atravessando riachos por pontes de madeira, entrando na água em outras ocasiões. Por fim, o escuro se tornou cinza, e ele começou a conseguir ver os dedos das mãos. O amanhecer se aproximava. O inglês se perguntava por que eles estavam demorando tanto. Se pretendiam matá-lo, esperava que acontecesse logo. A figura misteriosa que os acompanhava depois do urro do gato-selvagem deveria agir em breve. Até mesmo um guerreiro desejaria que aquela noite terminasse.

Então, o mundo à frente dele pareceu se tornar mais amplo e mais claro. As árvores apresentavam espaços maiores entre elas e as figuras dos índios eram como um desenho borrado. Seria uma estrela brilhando à frente deles, aquela luz que se tornava mais e mais brilhante?

— Jamestown! – gritou ele em seu próprio idioma. — Jamestown! Aqui é Jamestown. Que Deus seja louvado!

Os índios se reuniram ao redor dele e começaram a fazer perguntas. Ele daria presentes a todos? Eles receberiam armas para levar de volta?

Enquanto estavam reunidos, cada um se expressando no momento adequado, um jovem apareceu atrás deles.

— Garra de Águia! – exclamaram eles.

O garoto colocou nas mãos de Smith, que estava surpreso, um colar de conchas brancas que ele se lembrava de ver Pocahontas usando.

— A Princesa Pocahontas envia saudações – disse ele — e se despede agora que sabe que o senhor chegou bem de volta ao seu povo. – Ele franzia o cenho, deixando claro que estava contrariado por ter que passar aquela mensagem.

Assim, John Smith soube que Pocahontas o havia acompanhado pela floresta e que se a morte tinha se aproximado dele naquela noite, ela a havia afastado dele.

Capítulo 11

Pocahontas visita Jamestown

— Trouxemos o cacique branco de volta a sua tribo em segurança – disse Copotone, um dos guias, quando eles se aproximaram da estrada que levava à Ilha de Jamestown.

— Com certeza – comentou Smith —, já que foi isso o que Powhatan mandou que fizessem.

Era política dele – uma política de dar crédito ao líder de alguém que, apesar de conhecer tanto do mundo, ainda era muito jovem – nunca demonstrar suspeita em relação à boa-fé indígena.

— Agora que o trouxemos – continuou Copotone, que não tinha a menor intenção de entregar os segredos da noite passada —, pretende cumprir sua promessa de nos dar armas e rebolo?

— Vocês podem levar a seu líder o que conseguirem carregar – respondeu Smith, cujo coração batia depressa ao ver as cabanas e fortes atrás dele, os contornos das coisas que se tornavam mais claras a cada momento com o dia clareando. Ele havia atendido o grito do sentinela que, quando convencido de que seus ouvidos e seus olhos não o traíam, saiu correndo e segurou as mãos daquele que ele pensou que nunca mais encontraria vivo.

— Capitão! – exclamou ele. — Que dia feliz este em que o senhor voltou para nós, mas que surpresa! – E ele apontou em direção à sede do governo. — Ninguém esperava por isso!

Enquanto isso, os índios olhavam ao redor com curiosidade enquanto passavam pelas paliçadas, adentrando o forte. Eram fracas para os padrões militares europeus, e totalmente inúteis se tivessem a intenção de defendê-los de ataques com armas. Mas para os selvagens, era um forte imponente, com leis de construção desconhecidas, algo que eles não entendiam. Além do bastião, eles viram a bandeira inglesa esvoaçada. Eles consideraram isso um tipo de Okee, o que – na opinião deles – a atitude de Smith confirmava por ter tirado seu chapéu e acenado feliz em direção ao símbolo de tudo o que agora era muito mais valioso para ele.

Mas foram as armas que chamaram a atenção do cacique aos visitantes selvagens. Havia quatro deles, todos apontando para a floresta: colubrinas de ferro com a Rosa de Tudor e as letras *E.R.* – Elizabeth Regina – gravadas no topo.

— São esses os tubos de ferro dos quais ouvimos falarem? – perguntou Copotone com interesse, desejando senti-los, mas sem ousar tentar, por medo da magia desconhecida.

— Sim – respondeu Smith —, você é forte o bastante para levar um a Werowocomoco?

Os índios os observaram, avaliando, tentando calcular se conseguiriam arrastá-los pela floresta.

— Acione este, Dickon – Smith mandou, com um sorriso contido. — É melhor que assustemos bem esse grupo, caso contrário, eles tentariam arrastar um dos meus brinquedos de ferro a um local desconhecido.

Dickon pegou um isqueiro que estava no banco ao lado dele, e em um momento, sob o olhar atento de sua plateia, acendeu uma luz e a encostou na entrada de uma colubrina. Houve um flash, e então um grito, e os índios, como se tivessem sido atingidos, caíram no chão, onde eles ficaram até gradualmente se convencerem de que não tinham sido feridos.

— Se vocês tivessem ficado na frente, e não atrás, teriam sido mortos – disse Smith solenemente, desejando impressioná-los com os terrores da magia do homem branco.

— Venham – disse ele, liderando o caminho do forte para o centro. — Como vocês consideram nossas armas pesadas demais e barulhentas demais, vou procurar presentes mais adequados para Powhatan e para vocês.

Os colonos, assustados pelo tiro de canhão, tinham corrido para fora para ver o que tinha acontecido. Eles mal conseguiram acreditar no que viram, e apenas quando Smith os chamou pelo nome e questionou o que estava acontecendo em Jamestown desde sua partida que eles se convenceram se tratar dele. Todos estavam magros e abatidos, e olharam com muita fome para os cestos de comida que os indígenas levavam. A maioria deles cumprimentou Smith com prazer genuíno; outros franziram o cenho ao vê-lo e mal o cumprimentaram, outros o cumprimentaram brevemente e se reuniram em duplas ou trios para conversar enquanto ele passava.

Smith os guiou até a sala onde ficavam guardadas as armas e, fazendo um gesto para que os índios esperassem do lado de fora, entrou e convenceu o homem que estava de vigia a permitir que ele pegasse alguns itens. Quando saiu, estava com os braços cheios de tecidos e contas, facas de aço e penduricalhos de todos os tipos. Os índios deram a ele os cestos de comida para serem esvaziados e preenchidos com os presentes. Ele colocou ali panelas de ferro e chaleiras de latão brilhoso. A cada um de seus guias, ele deu algo. Então, falando lentamente, disse a Copotone:

— *Kehaten Pokahontas patiaquagh niugh tanks manotyens neer mowmowchick rawrenock andowgh* — peça a Pocahontas para mandar dois cestos pequenos e enviarei contas brancas para que ela faça um colar.

Ele queria mandar a ela uma mensagem de agradecimento naquela noite, mas achou melhor não fazer isso, já que ela poderia desejar que ninguém soubesse que ela o havia seguido.

— Peça para ela vir nos ver em breve – acrescentou ele ao se despedir de seus guias, que estavam mais animados em voltar para casa e mostrar seus tesouros do que curiosos para ver coisas novas.

Depois de vê-los saindo do forte em segurança, Smith parou para perguntar por que algumas pessoas não tinham saído para recebê-lo.

— Ah! Ralph está morto e enterrado – responderam eles sobre um. E sobre outro:

— Christopher? Ele não resistiu à fraqueza. E Robin se foi há uma semana, devido à malária. Esta terra não é para homens brancos.

— Mas o senhor parece forte e saudável, capitão – comentou um dos cavalheiros, recostando-se à porta. — Imagino que não tenha corrido o risco de morrer de fome.

Então, Smith soube com detalhes a triste história do que a colônia tinha enfrentado durante sua ausência: falta de comida e doença que levaram quase metade dos colonos, e aqueles que restaram estavam fracos e desanimados. A morte tinha levado seus inimigos e também seus amigos, mas alguns dos que se opunham a ele anteriormente passaram a ver, durante sua ausência, que com sua partida, a vida e a força de Jamestown tinham acabado. Há homens – e a maioria deles – que precisam ser guiados por alguém a todo momento, e em Smith, os aventureiros passaram a ver um verdadeiro líder de homens.

Enquanto Smith passava tempo questionando e incentivando os desanimados, o Presidente Wingfield saiu de sua casa a caminho da sede do governo. Smith tirou o chapéu e se curvou em respeito, se não ao homem, pelo menos ao oficial que ele representava.

— Então você voltou, capitão Smith — disse o presidente, friamente. — Acho que você não ficou muito mal, ficou bem melhor do que maioria de nós. Você trouxe as provisões que prometeu? Temos esperado por elas um pouco ansiosamente. Mas primeiro conte-me onde deixou Robinson e Emery, pois as vidas de nossos camaradas, por mais modestas que sejam, são mais valiosas para nós do que as tão necessárias provisões.

Agora Smith tinha noção de que o Presidente Wingfield sabia, como todo homem na colônia sabia, que Robinson e Emery estavam mortos; os outros já tinham discutido seu destino com ele. Assim, ele notou que o presidente tinha certo receio em fazer a pergunta para ele em público.

— O senhor deve ter ouvido falar, senhor, que eles morreram — respondeu ele. — Coitados! A desobediência foi o que acabou com eles. Se tivessem seguido minhas ordens, teriam voltado vivos a Jamestown muitos dias atrás. Mas eles ficaram na terra, em vez de ficarem no rio como eu mandei, e eles foram assassinados pelos selvagens depois que fui capturado.

— Isso é fácil de responder, capitão Smith — Wingfield comentou solenemente, e virando a cabeça para falar enquanto se afastava, ele assentiu: — O Conselho vai querer tomar conta da vida deles agora. Cuide para estar presente na sede do governo esta tarde às três para responder às perguntas deles.

— Então esse é o próximo passo deles — Smith comentou com seu amigo Guy, um jovem muito promissor, enquanto eles partiam juntos. — Eles vão me acusar de assassinato e tentar me enforcar ou me mandar de volta à Inglaterra acorrentado. Mas não escapei da morte salvo por uma jovem princesa para ter esse fim, amigo.

Enquanto eles caminhavam para a cabana dele, ele contou a história de seu cativeiro e fez planos para tirar o máximo proveito daqueles que procuravam feri-lo.

Os conselheiros, por sua vez, não foram unânimes em relação ao caminho a ser adotado. Alguns o estavam protegendo – eles não mencionavam a palavra *prisão* – até que um navio chegasse e o levasse de volta à Inglaterra. Outros, que talvez sentissem dúvida em relação a sua habilidade de lidar com o assentamento, estavam dispostos a reconhecer que eles o haviam julgado mal e sugerido que pelo menos ele recebesse uma chance de ajudá-los. E outros membros temerosos, depois de testemunhar a receptividade, concordaram com ele, e afirmaram que seria mais sábio não se apressar a tomar uma atitude que desagradaria à maioria dos colonos. Então, Smith foi à reunião das três da tarde como um tigre que agarra uma presa.

Nos dias seguintes ao seu momento de coragem, a disposição com que ele passou a ajudar em todos os lugares onde sua ajuda era necessária e sua coragem para desafiar as pessoas que eram contra ele mudaram totalmente o aspecto de Jamestown. Os cavalheiros que tinham se recusado a pegar no machado ou na pá devido a sua nobreza, se sentiram envergonhados diante do exemplo dele.

— Se Adão cavava e Eva plantava, quem era o cavalheiro? – perguntou ele enquanto batia o machado no casco de uma grande nogueira.

Mas apesar de ele gostar do triunfo sobre seus inimigos e de saber que seu retorno, as provisões que tinha levado e a inspiração de sua coragem e atividade eram de grande benefício a seus companheiros, ainda assim, às vezes, ele tinha uma sensação de solidão. Pensava em Pocahontas e se perguntava se ela não iria a Jamestown.

Foi em um dia de inverno que Pocahontas fez sua primeira visita à colônia. Ainda que eles não tivessem a maioria das necessidades básicas, não faltava combustível. Uma fogueira enorme estava acesa em um espaço aberto onde duas ruas se encontrariam no futuro.

Sobre algumas brasas, afastadas do centro da chama, uma chaleira era aquecida e seus donos, enquanto esperavam que o conteúdo derretesse, esquentavam um pedaço pequeno de esturjão seco. Ao redor da fogueira estavam John Smith e vários cavalheiros. Ele estava indicando para eles, em um quadro, a direção na qual ele acreditava que a cidade deveria se espalhar quando um novo influxo de colonos precisasse de abrigo. Havia carpinteiros cuidando de uma casa a poucos metros, mas os golpes de martelo não eram tão atraentes quanto deveriam ser quando homens estão construindo uma nova habitação com esperança; restava pouca força nos braços deles.

Quando Smith tirou os olhos do quadro para indicar por onde uma determinada linha deveria passar, ele viu, diante dele, o jovem índio que tinha levado o recado de Pocahontas depois da viagem pela floresta e que, ele agora reconhecia, era o mesmo jovem que o havia atacado em Werowocomoco.

Garra de Águia disse:

— Líder dos homens brancos, a Princesa Pocahontas me mandou aqui para dizer que ela veio visitá-lo. Agora mesmo, ela e suas amigas o esperam no forte.

— Ela é bem-vinda! – exclamou Smith, levantando-se. Então, ele disse em inglês: — Venham, amigos, e me ajudem a receber a filha de Powhatan, que me salvou colocando sua própria vida em risco. Deem a ela uma calorosa recepção inglesa.

Os colonos não precisaram ouvir mais nada. Estavam dispostos a ver como era uma princesa índia. Mas Smith correu mais do que todos eles e ao ver o rosto iluminado da moça, estendeu as mãos em direção a ela, como teria feito com uma moça inglesa a quem conhecesse bem.

— Ah! Minha amiguinha – disse ele, com carinho —, você não está mais brava comigo. Quanto você quer que eu deva a você, Pocahontas? Minha vida, minha liberdade, meu retorno para casa e agora essa satisfação?

Pocahontas apenas sorriu. Smith, então, se virou, acenando para os homens que o tinham acompanhado.

— Eles, meus companheiros, também agradeceriam a você, mas eles não falam sua língua.

Os cavalheiros tiraram os chapéus, e Pocahontas reconheceu a cortesia deles com muito respeito.

— Vamos mostrar nosso vilarejo aos convidados – sugeriu Smith —, apesar de ainda não termos palácios e estabelecimentos com bela decoração. Levarei a Princesa e vocês, cuidem das amigas dela e do bravo guerreiro. – Enquanto eles percorriam o caminho do forte à única rua de Jamestown, ele perguntou: — Conte-me, minha carcereira, por que Powhatan me libertou? Tenho pensado nisso todos os dias, e não consigo entender. Você o convenceu, foi isso?

— Sim – respondeu a menina. — Primeiro, fiquei brava com você, mas meu coração, ainda que não quisesse, fez com que eu sentisse pena de você por estar longe de seu povo, assim como sinto muito por soltar uma presa de sua armadilha. Meu pai não me deu atenção no começo, mas eu pedi e conversei com ele, dizendo que sua amizade para conosco seria como uma maré alta cobrindo as rochas para que pudéssemos navegar com segurança.

— Mas o que significaram as canções e danças na cabana da mata?

— Foi a cerimônia de adoção. Você agora é filho de Powhatan e meu irmão. Você foi aceito na tribo, e aqueles foram os rituais antigos de nosso povo.

— E a viagem pela mata, você temeu pela minha segurança e por isso me seguiu por todo o caminho?

Mas Pocahontas não respondeu. Ela não queria dizer a ele que ainda tinha duvidado de seu pai, e que ela não tinha certeza de quais orientações ele tinha dado aos homens para guiar o cara-pálida.

— Você é como o Deus Sol – disse Smith com um sentimento verdadeiro —, poderosa para salvar e abençoar, irmãzinha, desde que me tornei seu irmão. E como o homem não pode recompensar o Deus Sol por todas as suas bênçãos, também não posso recompensá-la por tudo o que tem feito por mim.

Pocahontas estava prestes a responder quando, de repente, começou a rir com o que viu: dois homens estavam rolando um barril de farinha de dentro da despensa até a casa deles, mas o deixaram escorregar de seus dedos enfraquecidos. Ele rolou contra um dos carpinteiros que estavam de pé de costas, e ao tocar suas pernas, ele caiu. Sem dúvida foi algo engraçado de ver e ela não foi a única a achar graça. Mas o homem não se levantou.

— Por que ele não se levanta? – perguntou Pocahontas. — Ele não pode ter sido ferido por um golpe leve daquele barril pequeno.

— Receio que ele esteja enfraquecido demais pela falta de comida – respondeu Smith, com seriedade.

— Ele não tem o que comer? – perguntou a menina de olhos arregalados. Então, como se tivesse acabado de pensar: — Não tem comida para todos? Vocês também precisam racionar, meu irmão?

— Na verdade, irmãzinha, nossas porções são poucas e se o navio não vier logo da Inglaterra com suprimentos, receio que ficarão ainda mais escassas.

— Não! – gritou ela, com ênfase, balançando a cabeça até as longas tranças se balançarem para a frente e para trás. — Mas vocês não passarão fome enquanto tiver muito em Werowocomoco. Esta noite mesmo enviarei provisões a vocês. Sinto dor aqui – disse ela, com a mão sobre o coração — em pensar que vocês podem sofrer.

Naquele instante, o Presidente Wingfield e vários oficiais do Conselho, depois de tomarem conhecimento da visita de Pocahontas, se aproximaram deles. Eles perceberam que a presença dessa criança, a filha mais amada do poderoso cacique índio, era um evento importante. Eles não sabiam muito bem o que esperar. Ideias vagas de uma beleza do ocidente, como a Rainha de Sheba ou Semiramis, as haviam feito procurar uma certa magnificência real de gestos e roupas, e eles ficaram surpresos ao ver aquela criatura jovem e magra cujas roupas, aos olhos de alguns deles, eram inadequadas. De qualquer modo, eles logo descobriram que apesar de ela não ter roupas nem joias reais, ela tinha uma postura de senhora nobre. Logo se apressaram em vestir as melhores peças e, aos olhos da índia sem sofisticação, ficaram estranhos, ainda que aparentemente valentes. Ela ouviu as palavras de boas-vindas deles e responderam por meio da interpretação de Smith.

— Precisamos dar presentes a ela — sugeriu um dos conselheiros, como se estivesse descobrindo uma ideia que ninguém mais tinha tido, e ele mandou um empregado buscar algumas das peças que eles tinham levado para servir aos selvagens.

Pocahontas se esqueceu de sua postura ao vê-las e bateu palmas, animada, quando Smith colocou em seu pescoço uma corrente comprida de contas brancas e azuis. O prazer dela foi ainda maior quando ele segurou um espelhinho e ela viu seu rosto pela primeira vez refletido em algo que não fosse a água na floresta.

— Isso também é para mim? – perguntou ela, animada, e a segurou contra o peito, e olhou no espelho de um lado e do outro, sem se cansar de analisar os próprios traços.

As outras moças e Garra de Águia receberam presentes também, mas menos ostentosos. Smith foi até sua casinha e depois de procurar no baú, pegou uma pulseira de prata que colocou no braço de Pocahontas, dizendo:

— Isto é para fazer Pocahontas se lembrar sempre de que ela é minha irmã e de que eu sou seu irmão.

Para Pocahontas, parecia que ela era incapaz de receber novas impressões. Era como se sua mente fosse um recipiente cheio até a borda com água e que não pudesse suportar mais nem uma gota. Como um esquilo que pega mais castanhas do que consegue comer de uma vez, e que corre para escondê-las, seu instinto fez com que ela desejasse levar seus tesouros para onde pudesse analisá-los de uma vez.

— Vou voltar para a cabana de meu pai – disse ela, e não voltou a falar até eles chegarem ao forte. Então, quando Smith viu o pequeno grupo além das paliçadas, ela disse a ele:

— Irmão, não esquecerei. À noite, enviarei comida a vocês. Gostei muito de sua cidade desconhecida e voltarei de novo.

Capítulo 12

A embaixatriz de Powhatan

Pocahontas cumpriu sua promessa. Naquela mesma noite, assim que mostrou seus tesouros a Powhatan e às mulheres índias invejosas, e depois de contar as impressões que teve da cidade e das cabanas dos caras-pálidas, ela se ocupou enchendo cestos com milho, pedaços de carne de veado e carne de urso secas e os enviou pelos mensageiros a "seu irmão" em Jamestown.

Nos dias seguintes, apesar de ela ter brincado com as irmãs, apesar de ter caçado com Nautauquas na floresta, apesar de ter ouvido, à noite, sentada no colo do pai e na frente da fogueira, as histórias das conquistas de sua tribo na guerra, ou a estranha transformação dos guerreiros em feras e espíritos, seus pensamentos escapavam em direção ao homem branco da ilha e às muitas maravilhas que ela mal tinha visto. A pressão da pulseira em seu braço fazia com que ela se lembrasse de quem a havia dado a ela, e mais uma vez, ela viu em sua mente os olhos dele, tão amorosos quando sorriam para ela, tão sérios em outros momentos.

Ela também pensou no homem que tinha visto ser derrubado pelo barril – de como ele tinha se levantado lentamente. Ela sabia que existia algo como a fome, porque às vezes, tribos aliadas dos Powhatans, cujas colheitas não tinham sido bem-sucedidas ou cujos guerreiros tinham sido preguiçosos, pediam comida da grande despensa em Powhata. Mas ela nunca tinha visto nenhum deles desmaiar por falta de comida, e ela se sentia triste ao pensar na abundância em Werowocomoco, onde nem mesmo os cachorros sentiam fome, sabendo que havia homens não muito longe dali sem ter o que comer. Seu pai não fez qualquer objeção quando, um dia ou dois depois, ela disse a ele que queria mandar mais provisões aos homens brancos.

— Que assim seja – disse Powhatan. — Seu cativo deve ser alimentado até quando a grande canoa que ele disse estar chegando, chegar. Ele disse – ainda que isso seja uma grande bobagem, já que ele não consegue ver tão longe – que no final desta lua, a canoa chegará em segurança. Mas até o dia da chegada, não importa quando seja, você pode enviar ou levar o excedente de nossos alimentos a eles. E cuidado, Matoaka – sussurrou ele para que as índias não os escutassem —, você é madura para sua idade, por isso, fique atenta para entender quais são os modos dos homens brancos. Às vezes, a esperteza da raposa vale mais do que as garras do urso.

Então, a cada três ou quatro dias, Pocahontas levava comida a Smith, tanto para ele quanto para seus companheiros. Às vezes, acompanhada da irmã e das amigas, ela ia a Jamestown à noite, e meio rindo, meio assustadas, elas colocavam os cestos na frente do forte e corriam como cervos assustados de volta para a floresta antes de o sentinela abrir o portão na paliçada, em resposta ao chamado delas. Às vezes, acompanhada de Garra de Águia, ela passeava pela rua de Jamestown, cumprimentando, com certa timidez ou com sorrisos, os moradores cujos rostos magros se iluminavam ao vê-la. Ela passou a simbolizar para eles a esperança no novo mundo que todos eles tinham quase perdido – eles se alegravam ao vê-la, não apenas pelos presentes, mas por ela em si.

Eles ensinaram Pocahontas a dizer algumas palavras, como "bom dia", "comida" e "o capitão", em referência a Smith, e essa nova e estranha conquista era quase tão importante para ela quanto as contas ou a pulseira. Para ela, a ilha era um local de encantamento. As armas no forte despertavam nela mais surpresa do que os estrondos de uma tempestade, e o feitiço mais estranho de todos era o poder que os homens brancos tinham de comunicar seus desejos uns aos outros à distância fazendo marcas pequenas em pedaços de papel.

Certa tarde, quando chegou acompanhada de Cleopatra, encontrou as ruas e casas de Jamestown abandonadas. Enquanto elas andavam, tentando entender o que tinha acontecido com os caras-pálidas, ouviram o som de vozes dentro de uma cabana mais à frente. Eles não pareciam estar gritando nem conversando, mas entoando algo de uma maneira rítmica, como ela nunca tinha escutado. Em silêncio, as duas moças seguiram o som até a cabana. Era feita de madeira, aberta nas laterais e protegida por um pedaço de pano. Agachadas atrás de alguns arbustos, ainda segurando suas tochas acesas, as meninas observaram encantadas, sem serem vistas. O sol estava descendo atrás delas, atrás também dos colonos, que estavam todos virados para o leste. Então, Pocahontas sussurrou para a irmã:

— Veja, Cleopatra, eles devem estar adorando seu Okee. O homem todo de branco na frente deles deve ser um xamã.

A curiosidade a mantinha ali, apesar de Cleopatra puxar sua saia com medo, sussurrando ameaças, dizendo que elas deveriam partir antes que um feitiço as tomasse. Ela viu quando todos eles se ajoelharam no chão, assim que o canto terminou, e escutou quando eles repetiram um encanto que ela tinha certeza que devia ser muito poderoso, a julgar pela firmeza no tom de voz deles. O Okee deles, ela pensou, devia ser muito forte – e agachada ali, testemunha escondida da missa daquela noite, ela teve a certeza de que seu pai, se assim quisesse, e unido de todas as tribos dele, nunca conseguiria conquistar aqueles homens determinados.

Ela temeu que seu "irmão" ficasse bravo com ela por ter espiado cerimônias que talvez fossem proibidas a mulheres ou a membros de outras tribos. E assim, para grande alívio de Cleopatra, elas foram embora, deixando no forte as provisões que tinham levado em suas costas.

Alguns dias depois, chegou a notícia de Opechanchanough de que a grande canoa, tão esperada pelos desconhecidos, tinha sido vista em Kecoughtan e agora subia o rio. Powhatan ficou surpreso, pois era o mesmo dia em que o capitão branco havia previsto sua chegada. De fato, um homem que conseguia ver tão longe nas ondas da grande água tinha que ser temido. E a partir daquele dia, o cacique passou a sentir um respeito profundo por John Smith e seus poderes.

Agora que o navio havia levado provisões, não havia a necessidade de ajuda de Werowocomoco. Mas só por um tempo. Um dia, quando Smith havia levado Pocahontas ao navio para mostrar a ela as maravilhas de sua canoa gigantesca, ele pediu a ela para pedir que as pessoas levassem mais comida a Jamestown.

— Os marinheiros do Capitão Newport – ele explicou — estão aqui há muito tempo e estão devorando grande parte das provisões que você nos dá. Uma mania estranha tem tomado conta deles, irmãzinha; eles são loucos por ouro. Eles acreditam que os riachos daqui são cheios de terra valiosa e que eles e nossos homens de Jamestown valem mais do que a própria vida. É mais para eles do que seu pocone precioso, e como você vê, eles abandonam seu navio e passam dias peneirando areia. Se eles não forem embora logo, não restará nada para comermos.

— Você não passará necessidade, irmão – prometeu Pocahontas, e no dia seguinte, chegaram os índios com muitas provisões. Smith agora comprava deles, com contas, utensílios e tecidos coloridos. Mas o presidente e o Conselho, com inveja da importância cada vez maior das relações de Smith com os selvagens, procuraram melhorar a deles pagando quatro vezes a quantia que Smith tinha estabelecido.

Smith acordava desanimado todos os dias e, ainda desanimado, não conseguir dormir direito à noite. A colônia não parecia se fixar no solo virgem; homens que não trabalhavam no campo e com o plantio trabalhavam fervorosamente à procura de ouro, esquecendo-se de que uma colheita farta significaria mais para o sustento deles do que sacos de dinheiro. Então, para aumentar os problemas, um incêndio teve início numa noite de inverno em Jamestown e se espalhou depressa pela maior parte da cidade, queimando o depósito no qual o grão precioso era guardado. *De frio e de fome, mais da metade de nós morreu*, escreveu Smith mais tarde, em sua história.

Tanto com sua força quanto com seu exemplo, John Smith se esforçou ao máximo para reconstruir Jamestown e para incentivar os desanimados, fazendo amigos entre aqueles que tinham escutado o que ele pretendia fazer.

Por muito tempo, Powhatan tinha desejado guardar amas como as que os homens brancos usavam, mas os colonos até então tinham recusado o pedido dos índios de fazer permutas com eles. Agora, ele determinava que outros métodos fossem usados. Mandou vinte perus gordos – cada um deles um peso grande para o homem que o levava nos ombros – ao Capitão Newport, pedindo que, em troca, o inglês mandasse vinte espadas a ele. Newport, cujas ordens das autoridades em Londres tinham sido para que os nativos não fossem ofendidos, não tinha se recusado e havia enviado as espadas, conforme solicitado. Então, Powhatan, ainda interessado em armazenar mais armas, mandou mais vinte perus a Smith, pedindo mais vinte espadas. Mas Smith, que tinha aprendido por experiência e observação, muitas coisas a respeito das relações que deveriam prevalecer entre a colônia e os índios, sabia que era perigoso dar a um amigo sem preparo os meios de se voltar contra quem ajudava. Ele sabia que os índios respeitavam sua seriedade com eles mais do que respeitavam o desejo claro de Newport e do Conselho de agradar a eles. Assim, ele se recusou. Os selvagens, decepcionados, mostraram sua ira e gritaram palavras insolentes contra Smith.

Ao perceberem que ele não mudaria sua decisão, procuraram roubar as espadas. Foram descobertos e Smith, percebendo que havia chegado a hora de tomar uma decisão firme, decidiu prendê-los. Uma parte do Conselho protestou, declarando que esse era o jeito errado de tratar os índios, e disse que Powhatan se ressentiria dessa atitude. Como Smith sabia, eles queriam saber, que aqueles selvagens estavam agindo de acordo com o decidido por seu cacique? Não seria apenas um impulso repentino de raiva que havia feito com que eles pegassem o que deveria ter sido dado a eles?

Mas os prisioneiros, que acreditavam no poder de Smith de ver o passado e também o futuro, e acreditando ser inútil esconder a verdade dele, confessaram que Powhatan tinha mandado que eles pegassem as espadas de qualquer modo. Powhatan agora sabia que seu plano tinha fracassado e que era preciso que ele repudiasse o feito de seus mensageiros. Para convencer os caras-pálidas de sua boa-fé, ele deveria enviar alguém para conversar com eles, alguém em quem eles confiassem. E foi assim que Pocahontas foi a Jamestown como embaixadora.

Acompanhada por escravos que levavam presentes, como comida, semente de milho para o plantio da primavera e carne de veado, urso e gato-selvagem, Pocahontas foi recebida em Jamestown com grande cerimônia.

— Trago estes presentes de Powhatan – disse ela a Smith, que sempre atuava como intérprete. — Ele implora que você o perdoe pelos erros cometidos, pois eles apenas queriam liberdade, mas reforça que sempre vai te amar.

O modo com que ela deu a mensagem foi tão sincero que Smith notou que ela não sabia da participação do pai no roubo. Os homens tinham aprendido sua lição, e Powhatan tinha sido avisado, por isso havia espaço para clemência.

— Você deseja, Pocahontas, que esses homens sejam libertados?

— Ah, sim, meu irmão – respondeu ela, na mesma hora. — Você sabe que homens ou feras presas tentam escapar. Meu coração se entristece quando penso em criaturas confinadas.

— Mas, irmãzinha – respondeu Smith com seriedade, observando que ela mudava de expressão —, eu devo entregar esses prisioneiros a outro carcereiro, para alguém que os trate tão bem quanto vocês me trataram em Werowocomoco.

Pocahontas franziu o cenho, o que mostrava que ela estava tentando entender o que ele queria dizer.

— *Você* aceita esse papel, Pocahontas? – perguntou ele, e ela de repente compreendeu a piada, e riu.

Os homens ficaram sob a responsabilidade dela e quando voltou para casa, Powhatan estava muito feliz com a condição de embaixadora da filha.

Em setembro daquele ano, Smith finalmente passou a ser o que ele já vinha sendo de fato – o líder da colônia. Como presidente, ele podia agora colocar seus planos em prática com menos oposição. A construção de novas casas e da igreja ocorreu depressa; o treinamento de homens em exercícios militares, a exploração das costas de Chesapeake Bay, tudo isso recebeu a atenção dele. Mestre Hunt, o clérigo, cuja biblioteca tinha sido incendiada, passava um tempo incentivando os colonos, e duas vezes por dia ele realizava missa na igreja; e no altar, acendia velas e dispunha flores selvagens.

Em Londres, os governantes da Colônia tinham decidido que seria inteligente deixar Powhatan ainda mais perto do assentamento inglês. A ideia que eles tinham da posição e do tipo de força que um índio tinha era muito vaga, de fato. Tinham dito a eles que todos os selvagens eram simpáticos, assim como as crianças ficam felizes com roupas e acessórios coloridos. Então, pensaram que certamente aquele líder de trinta tribos ficaria feliz com a pompa de uma coroação. Eles mandaram ordens pelo *Phoenix* – um navio carregado de suprimentos que chegou naquele verão – de que Powhatan deveria ser levado a Jamestown e coroado ali com a coroa que eles tinham mandado com esse propósito.

Smith, conhecendo Powhatan como nenhum dos outros colonos conhecia, não era a favor desse plano. Ele acreditava que uma coroa, em vez de um cocar de penas, não faria qualquer diferença ao líder, cujo poder entre seu povo não precisava de decoração externa para ser fortalecido. Mas ele não teve opção além de obedecer, por isso ele, o capitão Waldo e três outros cavalheiros foram a Werowocomoco para levar Powhatan de volta com eles.

Na chegada, descobriram que o líder não estava ali, mas não sabiam que aquela informação era uma ordem. Nessa altura, Powhatan já não estava mais tão encantado com o jeito de ser dos homens brancos e concluíra que valia a pena tentar lidar com os caprichos dos estrangeiros com caprichos próprios também.

— Aonde você acha que ele pode ter ido? – perguntou Waldo. — Não gosto disso, Smith, acho que ele pode estar armando alguma coisa contra nós.

— Eu estou arrependido por termos vindo, capitão Smith – disse um dos cavalheiros, olhando com nervosismo para trás. — Foi uma tolice virmos aqui sem o reforço de bons homens com lanças.

— Senhores – respondeu Smith, mostrando timidez na voz —, digo que não há perigo algum se vocês não começarem a fazer esse semblante de suspeita. Lembrem-se de que toda Werowocomoco está de olho em nós, por isso, comportem-se como ingleses.

— Onde foi que eles quase o mataram, capitão? – perguntou o quarto. — E nem mesmo sua amiga, a princesinha, está aqui para recebê-lo. A ausência dela não o deixa um pouco ansioso?

De fato, John Smith estava preocupado. Não temia que fossem feridos, mas a ausência de Pocahontas era inesperada e ele tentou entender o que isso significava. Ele estava ansioso para receber a irmãzinha na casa dela e esperava conversar com ela sem interrupções, já que em Jamestown ele sempre estava limitado por seu tempo e compromissos. Agora que ele estava muito mais familiarizado com a língua dela, era um prazer descobrir o que uma moça das florestas pensava de seu mundo e daquele mundo estranho que ele havia colocado em contato com o dela.

Os índios que tinham se aproximado para receber os homens brancos agora indicavam um pequeno rio perto das árvores. Eles não responderam às perguntas de Smith sobre o que ele deveria fazer ali, mas sabendo que aquele local às vezes era usado para propósitos especiais, Smith caminhou na frente.

— Aonde estamos indo, capitão? – perguntou Andrew Buckler. — Não me parece inteligente que nos afastemos de nosso barco. Se eles pretendem nos ferir, teríamos que atravessar um longo caminho para conseguir fugir.

— Não haverá confronto – disse Smith, sem ousar relaxar.

Mas naquele instante, eles escutaram gritos vindos da mata, e entre as árvores, surgiu um bando de criaturas avançando na direção deles.

Capítulo 43

A coroação de Powhatan

As árvores se aproximavam tanto que era difícil para os ingleses distinguirem nas sombras as figuras passando entre os troncos. Eles estavam seminus: ali, um grupo pintado de vermelho; ali, um braço branco, branco como os que nunca eram pintados, e mais para lá, ombros de um azul brilhante, enquanto eles dançavam e gritavam.

— Todos pintados para a guerra! – gritou o capitão Waldo.

E naquele momento, John Smith perdeu a confiança na amizade que Powhatan tinha jurado manter a ele, e empunhou sua espada, pronto para ferir quem se aproximasse primeiro.

Então, ele olhou de novo... e rapidamente embainhou a espada de novo, gritando a seus companheiros que também estavam prontos para o ataque:

— Esperem!

Ali, na frente dele, o primeiro dos dançarinos que tinham saído da floresta era Pocahontas! Na cabeça, ela usava galhos, pele de lontra como saia e outro pedaço no braço, levando um arco nas costas, com flechas na mão. De repente, ele percebeu o que os ingleses estavam pensando – que tinham caído numa emboscada.

— Meu irmão! – gritou ela com uma voz cheia de decepção. — Você também duvidou de mim? Diga aos seus companheiros que coloco minha vida nas mãos deles, se pretendíamos fazer mal a vocês.

Poucas vezes na vida John Smith se viu tão sem saber o que responder. Ele logo explicou aos outros que Pocahontas evidentemente queria recebê-los com honras. Então, olhando para ela, ele gritou:

— Perdoe-nos, Pocahontas, e não fique brava por termos interpretado sua gentileza do modo errado. Veja, vamos nos sentar aqui no chão e observar enquanto você e suas amigas continuam a cantar e dançar, e será muito interessante para nós.

A decepção de Pocahontas desapareceu de uma vez e ela correu com as amigas de volta para a mata, onde elas repetiram a apresentação, dessa vez com os ingleses se divertindo, homens um pouco envergonhados por pensar que tinham sentido tanto medo de um grupo de garotas. Todas as dançarinas estavam vestidas como a líder delas e a parte de cima de seus corpos, assim como seus braços, estava pintada de vermelho, branco e azul. Havia uma fogueira acesa no meio do campo e ao redor dela, elas formaram um círculo, dançando e cantando uma canção que, apesar de ser diferente de tudo o que os companheiros de Smith já tinham ouvido, afetava seus batimentos cardíacos como tambores. Algumas das palavras cantadas falavam sobre boas-vindas, Smith conseguiu entender, canções de garotas nas quais elas cantavam sobre as alegrias da infância e dos dias em que seus amores as procurariam, e elas os acompanhariam até suas cabanas.

Pocahontas, ele pensou, era muito graciosa; seus pés eram rápidos como chamas, e de vez em quando, da exuberância de sua felicidade, ela lançava uma flecha acima da cabeça deles, em direção às árvores mais distantes. Smith ficou imaginando que tipo de marido ela acompanharia até sua casa, um dia.

A apresentação durou cerca de uma hora; todos os movimentos eram simbólicos, como Smith sabia que acontecia com todas as danças indígenas, e muito disso ele era capaz de compreender. De qualquer modo, ele teria aproveitado a apresentação, sabendo que Pocahontas tinha se apresentado como homenagem aos visitantes de seu pai. Quando terminou, de repente, todas partiram, as moças desapareceram na floresta escura.

Mas os ingleses não ficaram sozinhos, pois durante a dança alguns guerreiros e índias tinham se aproximado para acompanhar a cerimônia e observar a plateia, principalmente. Então, Nautauquas se aproximou e cumprimentou Smith.

— Meu pai acabou de voltar. Ele voltou depressa quando soube que vocês tinham chegado. Ele mandou prepararem a cabana de hóspedes e aguarda vocês ali.

Powhatan os cumprimentou quando eles entraram na cabana, que Smith reconheceu na hora como aquela na qual sua vida havia ficado em risco.

— Diga a eles que são bem-vindos, os seus amigos – disse ele a Smith —, e você, meu filho, é sempre como um de meu povo.

Eles se sentaram nas esteiras estendidas para eles, e o banquete de sempre teve início. Os ingleses comeram todos os pratos servidos.

— Esse guaxinim é diferente, tem um sabor raro – disse Waldo —, e eu acho que o rei de Westminster não come melhor do que nós. Smith, o velho selvagem já perguntou o que viemos fazer aqui?

— Um índio nunca pergunta o que um convidado tem para fazer – respondeu ele —, mas agora que comemos, não quero demorar muito a contar a ele.

Ele se levantou e começou a falar. Pocahontas, que havia permanecido na entrada, olhando para dentro, entrou e se sentou aos pés de seu pai.

— Líder de muitas tribos, cacique dos Powhatans, Wahunsunakuk, viemos para trazer os cumprimentos enviados do outro lado do mar por nosso grande líder, James. No caso dos ingleses, dos espanhóis e dos franceses e de outros povos grandes além dos mares, seu maior líder, aquele que governa muitas tribos, se chama "rei". Ele é mais poderoso do que todos os outros caciques, sempre tem muitas riquezas e honra, e quando chegar a hora, pela morte de um velho rei ou por conquista, de um novo rei tomar seu lugar, ele é coroado. Colocam um círculo na cabeça dele; e em sua mão, um cajado de honra; e em seus ombros, jogam um manto real, de modo que todos aqueles que o vejam saibam que se trata do Rei e que precisam respeitá-lo. Nosso rei James, que soube de você e das muitas tribos governadas pelo senhor, deseja que o senhor também seja coroado com outro rei, amigo dele, de modo que os ingleses possam saber que o chama de "irmão" e que seu próprio povo deve ser tratado com ainda mais respeito.

Powhatan não pareceu se interessar por aquelas palavras, mas pelo olhar atento de Pocahontas, Smith notou que seu discurso tinha pelo menos sido compreendido.

— Assim – continuou Smith —, sua coroação está marcada para acontecer em Jamestown, daqui a poucos dias, quando o senhor achar adequado. Nosso rei enviou presentes para o senhor, esperando que nos visite.

Então, ele parou e olhou para Powhatan à espera de uma resposta. O cacique pensou em silêncio por um momento, e então disse:

— Se seu rei mandou presentes, eu também sou um rei, e esta é minha terra; esperarei oito dias para recebê-los. Seu Pai deve vir a mim, e não eu a ele, nem a seu forte.

Ele disse aquilo com tanta certeza que os ingleses não tentaram convencê-lo do contrário. Prometeram que fariam como ele desejava e convenceriam Newport, a quem ele chamava de "pai" deles, a ir a Werowocomoco, que podia ser considerada a capital dos Powhatans. Então, eles partiram para Jamestown, depois de agradecer a Powhatan e a Pocahontas pela receptividade.

PRINCESA POCAHONTAS | 169

Pocahontas esperou pelo retorno deles com ansiedade. Ela discutiu o assunto com Nautauquas. *"Talvez"*, ela disse, *"haja um feitiço estranho na cerimônia que torne nosso pai invulnerável e, talvez, seguro até mesmo da própria morte."*

— Tenho mais fé nas armas dos homens brancos do que no feitiço deles – disse Garra de Águia. — Desde que um daqueles construtores gordos a quem eles chamam de holandeses me deixou testar uma das armas, sei que elas não funcionam por mágica. Se conseguirmos um bom número delas, seríamos dez vezes mais fortes do que o grupo fraco deles e poderíamos destruir todos eles antes de mais uma leva de novatos chegar.

— Não – gritou Pocahontas —, não enquanto nosso irmão, o capitão, viver. É impossível sequer olhar nos olhos dele quando ele está com raiva.

Ela não imaginava que estava dizendo uma verdade. Garra de Águia nunca tinha conseguido olhar nos olhos de Smith desde que ele se afastou da cabana onde pretendera matar o homem branco. Apenas Smith olhava nos olhos dele, mas ele sonhava que um dia conseguiria lhe aplicar um golpe quando aqueles olhos terríveis não pudessem impedi-lo. Enquanto isso, não conseguia olhar para outros caras-pálidas, nem de dia e nem de noite.

— Mas – perguntou Nautauquas, lenta e seriamente, como se analisasse a questão — por que desejaríamos destruir esses homens brancos? Já tive ideias diferentes, e fui sozinho para a floresta, jejuei e rezei a Okee para saber se deveria recebê-los como inimigos ou amigos. De certo modo, as tribos brancas que vivem em diversos locais através das águas brancas foram para o oeste. Dizem que muitas chegaram ao sul, homens de raças e línguas diferentes das que temos aqui. Estes outros são cruéis aos índios entre quem eles se estabeleceram e destruíram muitos vilarejos, e tornaram seus guerreiros e mulheres cativos. Já falei com nosso pai, Wahunsunakuk, do que estou dizendo, já que não mais podemos esperar esconder nosso caminho de novo do sol que nasce, que é melhor sermos amigos desses que vieram e que parecem bem-dispostos em relação a nós, e tê-los como aliados e não como inimigos.

Apesar de tudo, Garra de Águia ficou impressionado com essa forma de pensar.

— Então, você gosta desses caras-pálidas e seus costumes? – perguntou ele.

— Muito sobre eles eu não entendo – respondeu Nautauquas. — Como eles podem usar tantas roupas? Por que constroem casas que não deixam ar entrar? Por que eles vêm aqui se têm vilarejos do outro lado do mar? Mas eu sei que eles são corajosos e que seus feitiços são poderosos.

Pocahontas falou pouco. Ela nunca tinha contado a ninguém o quanto se interessava por tudo o que estava relacionado aos homens brancos e sua maneira de ser.

Alguns dias depois, Smith, capitão Newport e cinquenta homens começaram a marcha para Werowocomoco, para a coroação de Powhatan. Os presentes que o Rei e os governantes da Colônia em Londres tinham escolhido para ele foram mandados por navio rio acima. Quando o grupo de ingleses, com suas calças e blusas de mangas compridas e babados brancos, espadas e cinto reluzindo, acompanhados por alguns soldados levando alabardas e mosquetes compridos, chegaram, a população toda do vilarejo e aqueles de outros vilarejos a léguas dali estavam esperando por eles. Guerreiros e mulheres também tinham escolhido suas peças mais especiais – colares, contas e roupas bordadas.

Foi uma bela imagem na floresta – o grupo de índios com vestimentas coloridas de frente para os europeus, com roupas mais discretas. Ao redor deles, estavam as crianças, dando voltas e empurrando, espiando entre os mais velhos de modo a não perder nada. E durante todo o tempo, correndo de um grupo a outro dando as boas-vindas, explicando, sorrindo e rindo, estava Pocahontas, com roupas brancas.

Depois de se cumprimentarem, Powhatan e o capitão Newport se olharam com simpatia, os presentes foram levados para o campo onde Pocahontas tinha dançado e foram espalhados diante do olhar curioso dos selvagens. Pocahontas, usando a saia branca e muitos colares de contas azuis e brancas, andava entre seus novos amigos, e pousou a mão na do capitão Newport, como Smith tinha explicado que era o jeito com que os ingleses cumprimentavam uns aos outros. Alguns caciques franziram o cenho e não gostaram da amizade demonstrada por ela aos estrangeiros. Vários, inclusive, repreenderam Pocahontas que, mesmo assim, não se conteve. Depois de algumas palavras com Smith, ela voltou para perto de Cleopatra e de outras de suas irmãs, na lateral do campo.

— O que é aquela coisa estranha, Pocahontas? – perguntaram elas, sabendo que ela sabia mais, enquanto a roupa de cama era retirada de um colchão que o capitão Newport, por meio de sinais, apresentava solenemente a Powhatan.

— Aquilo – respondeu ela, pois já tinha visto algo parecido em Jamestown — é um lugar onde eles dormem.

— É mais confortável do que nossas esteiras? – perguntou Cleopatra. — Eu teria medo de cair dela, dentro da fogueira.

Powhatan também não sabia o que fazer com a cama. Os presentes seguintes – uma bacia e um jarro – foram recebidos com mais entusiasmo. As índias estavam muito interessadas neles e Pocahontas disse que eram feitos de uma substância que não quebrava, como ocorria com os jarros de argila secos ao sol. Mas foi o manto vermelho de tecido inglês macio, como aquele que disseram que o rei James tinha usado em sua coroação em Westminster, que fez o rosto sério de Pocahontas relaxar um pouco de prazer. O capitão Newport o colocou sobre os ombros do cacique e segurou um espelho para que ele pudesse olhar a si mesmo, belamente vestido.

Então, eles passaram à coroação. Newport gostaria de ler algumas palavras de ritual, ainda que a pessoa principal da cerimônia não conseguisse entendê-las; mas o capelão frisou que nem a lei nem a Bíblia diziam algo acerca da coroação de um bárbaro, e no fim das contas, era a atitude, não as palavras, o que impressionaria os selvagens.

O tambor bateu forte e a trombeta tocou a ponto de sobressaltar as mulheres e as crianças e fazê-las gritar; os guerreiros foram mais rápidos para esconder o susto. Em seguida, Smith e Newport deram um passo à frente, com Newport segurando a coroa. Smith disse:

— Ajoelhe-se, Wahunsunakuk, para podermos coroá-lo.

Mas Powhatan, cuja compreensão de tais atos estranhos não era clara, apesar de compreender as palavras de Smith, continuou de pé como um pinheiro.

— Ajoelhe-se, Powhatan – disse Smith. — Não se engane, é um ato de rei; todos os reis da Europa se ajoelham.

Mas Powhatan não aceitou. Para ele, a postura seria incongruente com a de um líder poderoso, governante de mais de trinta tribos e senhor de sessenta vilarejos. Ele aceitava presentes enviados a ele, e não se opunha a usar um círculo brilhante na cabeça, se os homens brancos assim quisessem, mas não se ajoelharia; isso seria ir longe demais na aceitação de gestos desconhecidos. Essa era a posição de suplicantes, de mulheres e de crianças.

Smith não sabia o que fazer. Os oficiais da Colônia tinham se mostrado muito contrários à coroação, acreditando que isso impressionaria os índios, como um símbolo de uma aliança entre o povo deles e os ingleses. Ele pensou por um momento, e então sussurrou algo a Newport. Os dois logo pousaram as mãos nos ombros de Powhatan e pressionaram com delicadeza, mas firmes, uma pressão que fez com que ele flexionasse os joelhos levemente. Então, antes que ele conseguisse se recuperar, Newport colocou a coroa em sua cabeça de cabelos grisalhos.

Seguindo as ordens, dois soldados, entendendo que a cerimônia tinha sido finalizada, deram tiros com seus mosquetes. Powhatan se assustou, Nautauquas ergueu a cabeça como um cervo sentindo o cheiro de perigo, e alguns dos guerreiros começaram a correr em direção ao grupo de homens brancos. Mas a atitude calma de Smith mostrou que eles tinham se enganado.

— Estamos quites – disse capitão Waldo a Buckler. — As moças nos assustaram com suas máscaras e nós assustamos os guerreiros com nossos mosquetes.

Powhatan, de roupão vermelho e coroa, se sentou nas esteiras que tinham sido estendidas para ele, e Smith sussurrou a um dos cavalheiros que o haviam acompanhado:

— Na verdade, Radcliffe, ele não está parecido com nosso rei James?

A ideia de uma coroação, para ele, tinha parecido absurda, e ele pensou que o velho cacique ficaria ridículo com as peças finas, mas admitiu a si mesmo que não tinha sido o caso.

Em seguida, o banquete foi levado e os ingleses mais uma vez retribuíram ao que os índios tinham feito para eles. Pocahontas se aproximou e se sentou ao lado de Smith.

— Olá, irmãzinha – disse ele —, o que achou da roupa nova de seu pai?

— Ele está meio estranho, na minha opinião – respondeu ela —, mas ele não vai vesti-la por muito tempo. É linda, aquela capa, mas ele pode pintar a pele e deixá-la bonita com pocone, sem sentir tanto calor e tanto peso.

Smith riu.

— Você não gostaria de tentar usar roupas como as que nossas mulheres usam? Talvez você queira experimentá-las logo, pois em breve veremos mulheres brancas chegando nos navios.

— Os homens brancos também têm mulheres? – perguntou Pocahontas, surpresa.

— Claro. Você acha que os ingleses poderiam viver para sempre sem uma esposa ou moças em suas casas?

— E você, meu irmão – perguntou ela, curiosa —, sua mulher e seus filhos virão logo?

— Não tenho mulher e filhos; meus caminhos me levaram por tantos perigos, que me deixaram sem mulher.

— Mas uma mulher não temeria o perigo se você pudesse levá-la consigo, ou se não pudesse, ela esperaria em sua casa, pronta para recebê-lo na volta. Ela prepararia calças para você vestir, novas esteiras para você dormir; mostraria toda a carne seca de veado que tivesse pendurado na cabana enquanto você estava fora, e ela cozinharia esturjão fresco para você e prepararia leite de castanha para você matar sua sede.

— Que cenário bonito você imagina – respondeu ele, mas não deu risada. — Costumo me sentir sozinho em minha cabana e penso que um dia posso buscar uma esposa.

— Ninguém recusaria você – respondeu a garota, com simplicidade.

Smith não deu muita importância às palavras dela, mas pensou nela. Será que ele poderia conquistar aquele novo país e assumir como esposa aquela moça livre e feliz da floresta? Foi apenas uma ideia. Não teve tempo para pensar nisso com mais cuidado, pois Newport tinha se levantado e fez sinal para que eles começassem a voltar para Jamestown. Ele também se levantou, e acenou despedindo-se de Pocahontas.

Durante o banquete, Powhatan pensou no que pretendia fazer. Com seriedade, ele deu trigo ao capitão Newport, para que ele fizesse o plantio. Então, com mais seriedade, ele entregou os mocassins e o manto de pelo que ele havia deixado de lado quando o cobriram com a capa da coroação. Newport os recebeu surpreso, sem saber o que deveria fazer, mas Smith fez um discurso de agradecimento a ele.

— O que pretendia o selvagem? – perguntou Newport quando eles estavam voltando para casa. — Ele fez isso por querer te dar um presente também?

— Acredito que Powhatan tem senso de humor e deseja mostrar a nós que sua coroação aumentou tanto sua importância que as roupas deixadas de lado têm novo valor a nossos olhos.

Capítulo 14

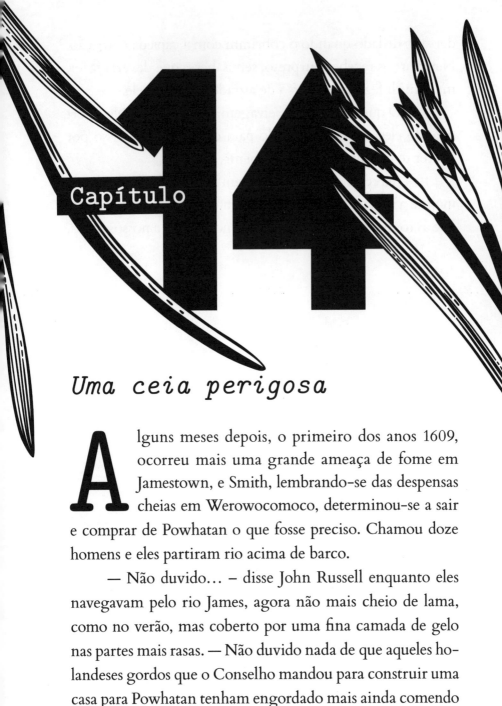

Uma ceia perigosa

Alguns meses depois, o primeiro dos anos 1609, ocorreu mais uma grande ameaça de fome em Jamestown, e Smith, lembrando-se das despensas cheias em Werowocomoco, determinou-se a sair e comprar de Powhatan o que fosse preciso. Chamou doze homens e eles partiram rio acima de barco.

— Não duvido... – disse John Russell enquanto eles navegavam pelo rio James, agora não mais cheio de lama, como no verão, mas coberto por uma fina camada de gelo nas partes mais rasas. — Não duvido nada de que aqueles holandeses gordos que o Conselho mandou para construir uma casa para Powhatan tenham engordado mais ainda comendo as boas provisões enquanto nós emagrecemos mais a cada dia. E por que ele precisa de uma casa cristã, afinal?

— Não gosto daqueles estrangeiros – disse Ratcliffe, · observando com olhos atentos um bando de patos de cabeça vermelha voando de uma das pequenas baías enquanto o barco se aproximava, desejando poder caçá-los para o jantar. — Será que não havia carpinteiros e construtores em número suficiente em Cheapside e Hampstead, a ponto dos senhores da Colônia precisarem chamar esses preguiçosos do Mar do Sul? Eles não nos amam, assim como nós não os amamos. Se eles achassem que isso os beneficiaria, eles não teriam escrúpulos em nos trair e entregar aos selvagens.

Enquanto eles subiam o James, longe da maré, o gelo se estendia para dentro do rio, até eles se aproximarem de Werowocomoco, onde ele se alongava por quase um quilômetro a partir da costa. Smith estava determinado, tão desesperado era o plano dos colonos, que eles não voltariam para Jamestown sem um bom suprimento de milho e outros alimentos. Ele esperava que Powhatan concordasse com a compra, mas pretendia tomá-lo à força, se fosse preciso. Por um tempo, houve pouca interação entre o inglês e os índios; estes pareciam indispostos a permutar, e havia rumores de que o Powhatan estava insatisfeito com os homens brancos.

Os quatro holandeses que, por algumas semanas, tinham construído a casa para Powhatan, haviam discutido entre eles as vantagens de serem amigos do cacique ou do inglês. Decidiram que enfraquecer este último seria o melhor a se fazer, uma vez que eles queriam ver o assentamento europeu destruído e pretendiam entregar seu destino aos selvagens.

Muitas coisas no modo de vida indígena os agradavam: muita comida boa e cachimbos cheios de tabaco, além de mulheres para servi-los. Assim, eles abriram seus planos e confidenciaram a Powhatan que Smith – que eles sabiam que logo deveria aparecer em busca de provisões – estava, na realidade, usando essa necessidade como pretexto, e que ele pretendia atacar os índios e causar grandes danos a Werowocomoco.

Pocahontas não tinha escutado essa conversa, mas viu os quatro desconhecidos juntos e seus ouvidos aguçados sempre escutavam a palavra "Smith" sendo dita. Quando a notícia foi dada de que o barco trazendo Smith e seus companheiros se aproximava lentamente pelo gelo, Pocahontas correu até o rio e acenou aos amigos. Observou quando eles chegaram à terra, mas se conteve antes de sequer começar a correr ao encontro deles. Tinha a sensação de que aquele não era o momento para belos discursos, e temia que a animosidade de Powhatan em relação aos ingleses tivesse sido alimentada pelos holandeses. Então, decidiu que em vez de demonstrar interesse pelos estrangeiros, pareceria indiferente a eles, para que seu povo pensasse que ela havia se tornado hostil. Ficaria perto de seu pai para saber o que ele pretendia fazer.

O cacique, ao se aproximar deles, não vestia a capa vermelha nem a coroa feita pelos ingleses, mas um cocar de penas de águia, uma calça e uma capa de pelo marrom de urso. Talvez ele desejasse mostrar que não precisava usar uma coroa para se parecer com um rei. Ele caminhou lentamente em direção ao rio e cumprimentou os brancos:

— Bem-vindos a Werowocomoco, meu filho, mas por que você vem com armas quando visita seu pai?

— Viemos comprar comida do senhor, ó, Powhatan — respondeu Smith —, para encher suas mãos e as de seu povo com belas contas e facas, além de tecidos de muitas cores para suas mulheres em troca de comida para hoje e para durar até a colheita do milho, quando poderemos comer o que plantamos.

— Mas primeiro, deixe suas armas de lado. Por que precisam de armas se vieram com um propósito tão pacífico? Vocês pensam em tentar assustar meu povo para vendermos nossas provisões? De que adiantará levar à força o que vocês podem ter depressa por amor, de que adiantará destruir aqueles que te alimentam? Todos os anos, nossa troca amigável garante o milho a vocês e agora também, se vocês vierem em paz para nos ver, e não com armas e espadas para nos invadir como inimigos.

Muitos ingleses, quando Smith traduziu as palavras do discurso do cacique, uma a uma, sentiram-se envergonhados pela demonstração de força manifestada com as armas, e se dispuseram a deixar o armamento de lado enquanto estivessem na terra daquele líder amigável, a quem eles tinham interpretado mal. Mas Smith não se deixou enganar. Ele estava aprendendo a entender como os índios agiam, e sabia que o líder tinha motivos para querer vê-los sem armas. Por isso, disse em resposta:

— Quando seu povo vai a Jamestown, eles levam arcos e flechas sem qualquer exceção, e nós agimos bem com vocês, como vocês conosco, por isso as armas fazem parte de nossas roupas.

Os dois continuaram conversando como *pai* e *filho*, mas Pocahontas, que escutava tudo, não estava tranquila. Ela havia dado seu afeto a Smith desde o dia em que havia salvado sua vida, e agora tinha certeza de que seu pai pretendia feri-lo. Nautauquas estava fora com Garra de Águia, em uma missão contra os Massawomekes, e ele tinha jurado para ela que faria o que precisasse para fazer com que os líderes de sua tribo o considerassem digno de ser chamado um verdadeiro guerreiro Powhatan.

Se seu irmão estivesse em Werowocomoco, ela poderia contar seu medo a ele; na verdade, ela percebeu que, sozinha, teria que descobrir as intenções de seu pai.

Ela viu que Powhatan tinha se recolhido com o pretexto de que ela não escutasse, e que Smith, de pé na entrada da cabana que Powhatan tinha designado ao inglês, estava conversando com algumas das mulheres de quem ele se lembrava de sua época de cativeiro, enquanto o resto dos homens brancos se ocupavam carregando os objetos que tinham levado para permutar, do barco à cabana.

De repente, vários guerreiros indígenas correram na direção dele, com as flechas prontas no arco. O primeiro selvagem lançou a flecha – ela subiu alguns centímetros a mais do alvo, passando de raspão pelo capacete de aço de Smith, e acertou a madeira da cobertura da cabana acima da cabeça dele. As mulheres, gritando, partiram correndo. Smith, antes que outra flecha fosse lançada, pegou seu revólver e o apontou na direção da multidão que avançava. Então, John Russell, notando a comoção, saiu correndo de dentro da cabana. Pressionando o gatilho de seu mosquete, ele atirou nos selvagens que se aproximavam, mas não conseguiu acertar nenhum.

De qualquer modo, os índios, ao verem que os ingleses ainda estavam armados, viraram-se e fugiram, desaparecendo floresta adentro. Pocahontas, tremendo de raiva, correu entre as árvores para encontrar o pai e perguntar por que os convidados estavam recebendo aquele tratamento ameaçador.

Depois de correr um pouco, ela viu Powhatan se aproximando e, escondendo-se atrás de uma rocha, esperou para ver aonde ele estava indo. Para sua surpresa, ela viu que ele estava entrando na cabana dos estrangeiros e que atrás dele estavam os escravos, levando grandes cestos de alimentos e semente de milho. O que ele pretendia, ela se perguntava, primeiro tentando matar e depois servindo alimentos aos homens brancos? Ela acompanhou, sem ser vista, enquanto Powhatan se aproximava de Smith sem qualquer hesitação.

— Fico feliz, meu filho – ela escutou quando ele disse a trinta metros de onde Smith estava, observando com olhos confusos —, em saber que você não está ferido. Enquanto me ausentei para pedir que as provisões fossem separadas para vocês, mesmo contra minha ordem, meus jovens, que estavam cegos pelo zelo religioso e pelo jejum pelo qual passaram em preparação para um grande cerimonial planejado por nossos sacerdotes, não sabiam o que estava fazendo. Veja, meu filho, não pense nada de ruim de nós; nós, ao mesmo tempo, pensaríamos em feri-los e ajudá-los? Pegue as provisões que eu, seu pai, tenho para você.

E Smith, apesar de estar um pouco em dúvida, não tinha certeza se Powhatan não estava sendo sincero. Mas Pocahontas, ainda se escondendo, sabia bem que nenhum homem em Werowocomoco teria ousado atirar nos homens brancos, exceto por ordem direta de seu cacique.

Mas, talvez, tudo agora estivesse bem; talvez seu pai tivesse, pelo menos, percebido que os ingleses não seriam pegos desprevenidos. Ela observou enquanto Powhatan e Smith supervisionavam a colocação das grandes pilhas de provisões dentro do barco e os cestos sendo enchidos com o que os ingleses pagaram para ter.

Então, depois de realizar o trabalho, os índios começaram a mexer nas contas e nas roupas. Enquanto estavam distraídos, um homem chegou correndo e caiu exausto diante de Powhatan, conseguindo dizer apenas algumas palavras. Apesar de o mensageiro não ter fôlego o suficiente para gritar com eles, eles foram ouvidos pelos índios que estavam perto e gritaram. Imediatamente, a multidão se ergueu e, aos urros, dançaram e pularam em círculos ao som de chocalhos e tambores.

— O que significa tudo isso, Smith? – perguntou Russell, que, com os outros homens brancos, estava observando a estranha performance.

— Conte a eles, meu filho – disse Powhatan, compreendendo, pelo tom de voz do inglês, que suas palavras eram uma pergunta —, que dois grupos de meus guerreiros, entre eles, Nautauquas e Garra de Águia, conseguiram uma grande vitória sobre cem de nossos inimigos, e que essa é a canção de triunfo deles.

Os olhos do velho cacique brilhavam mais do que nunca, e suas costas estavam tão firmes e fortes quanto as de um de seus filhos.

— Já devo ter visto todas as danças deles – disse John Smith a Russell, quando ele repetiu a explicação de Powhatan. — Só falta agora a dança da guerra.

Houve uma pausa na dança, e então, Powhatan fez um sinal. Tambores e chocalhos começaram a ser tocados de novo. O ritmo era diferente, até mesmo os homens brancos notaram; e eles notaram que os selvagens se movimentavam mais depressa, como se animados pela grande agitação. Novos dançarinos, com rostos e corpos pintados de vermelho e preto, tomaram os lugares daqueles que caíram de cansaço, e a mata ressoava com a música alta.

— Deve ter sido uma grande vitória – sugeriu Ratcliffe — para que eles se animassem dessa maneira.

Mas o coração de Pocahontas bateu como se fosse o próprio tambor de guerra, pois ela sabia o que os homens brancos não sabiam: que aquela última dança era uma dança de guerra, mas ela ainda não sabia bem contra quem sua tribo entraria em guerra. Deveria esperar para ver.

Por fim, as danças acabaram e o banquete começou, e os ingleses ainda assistiam com interesse às "atitudes estranhas" dos selvagens, como eles diziam. Tudo naquele momento estava tão calmo, que eles deixaram as armas de lado, designando um guarda para cuidar delas, e se sentaram ao redor da grande fogueira que tinham acendido no acampamento, para esperarem a maré alta da manhã para erguer o barco e tirá-lo da água semicongelada no qual havia ficado. Powhatan e os índios tinham se retirado, mas o cacique tinha mandado um mensageiro com um colar e pulseira de pérolas de água doce com palavras de afeto para *seu filho*, a fim de dizer que

PRINCESA POCAHONTAS | 185

em breve ele mandaria a refeição de suas próprias panelas, para que nada faltasse a eles naquela noite.

A escuridão tinha chegado depressa e a mata que se estendia entre o acampamento e o centro de Werowocomoco era densa e sombria. Por ela, Pocahontas correu mais rápido do que nunca. Ela não tropeçou nas raízes escorregadias com a camada de gelo formada, mas não tinha tido tempo para pegar um manto para se cobrir, e sentia frio. Estava com pressa porque agora sabia que a dança de guerra tinha sido dançada contra os ingleses.

Ela estava ofegante quando chegou ao acampamento perto da beira do rio, mas entrou correndo e pegou um mosquete da pilha de chão, para surpresa do guarda, que a reconheceu a tempo de não feri-la, e ela entregou a arma a Smith, chorando:

— Armem-se, meus amigos. Preparem-se depressa. – E prevendo que Smith faria perguntas, ela disse: — Quando suas armas estiverem prontas, conversaremos.

Smith deu ordens apressadas, repreendendo a si mesmo pela confiança depositada de modo equivocado. Os homens se afastaram do fogo, pegaram os mosquetes de cano longo e suas alabardas. Alguns, que tinham deixado de lado seus coletes de aço, rapidamente os vestiram de novo, e jogaram suas bandoleiras carregadas sobre os ombros. O grupo alegre e despreocupado agora havia se tornado uma tropa de soldados cuidadosos. Então, Smith se virou para Pocahontas, cuja respiração estava agora mais calma, enquanto ela fazia recomendações para que eles se defendessem. Ela respondeu à pergunta que ele não fez:

— Eu ouvi o que os holandeses traidores disseram ao meu pai. Temi quando escutei a canção de guerra e os vi dançando a dança da guerra. Que maldição, meu irmão, que eu tenha que falar algo contra meu pai, mas ouvi os planos que ele fez para pegar vocês desprevenidos, sem as armas nas mãos. Por esse momento, ele está esperando o dia todo e decidiu enganar vocês com palavras bonitas. Eles agora estão vindo com a refeição prometida; então, quando todos vocês estiverem comendo, ele deu ordens para que seus homens os ataquem e matem a todos, sem deixar ninguém escapar. E assim que eu soube disso, que você, a quem ele tinha jurado amizade, corria grande perigo, corri pela mata escura para fazer o alerta.

Smith se sentiu profundamente tocado por essa manifestação de lealdade. Ele sabia o perigo que ela corria se Powhatan descobrisse o que ela tinha feito.

— Matoaka – disse ele, chamando-a pelo seu outro nome e segurando suas mãos —, esta noite você colocou a Inglaterra toda em dívida de gratidão com você. Enquanto Virgínia for um nome de que os homens se lembrem, eles também se lembrarão de como você nos salvou da destruição. Na verdade, seu pai tinha feito com que eu parasse de desconfiar, e se você não nos tivesse avisado, certamente morreríamos. Agradeço em seu nome todos os dias, Princesa – ele continuou, e então se virou e contou aos homens, assustados, o significado das palavras dela. — E à minha irmãzinha, devemos profunda gratidão.

Ele soltou uma corrente grossa de ouro do pescoço, que tinha trazido do país dos turcos, e a colocou ao redor do dela.

— Use esta corrente como lembrança – disse ele. Então, seus companheiros se aproximaram, cada um deles com um presente deixado nas mãos da moça.

Ela olhou para todos eles de modo carinhoso, mas balançou a cabeça lentamente, com lágrimas caindo enquanto dizia:

— Não ouso aceitar, meus amigos. Se meu pai vir estes presentes, ele me mataria, já que descobriria que fui eu quem os avisou.

Ela tirou a corrente e com relutância a colocou de volta na mão de Smith, deixando que os outros tesouros que ela queria guardar fossem caindo devagar. Smith se inclinou e beijou a mão dela de modo respeitoso, como já tinha beijado a mão da Rainha Bess.

Pocahontas disse:

— Ouço a aproximação deles – gritou ela, e voltou a correr para a escuridão, margeando o rio até chegar a seu acampamento sem encontrar a tropa de índios avançando com pratos e cestos de alimentos que, no entanto, não eram escravos, mas guerreiros armados.

Quando estes chegaram perto dos homens, os homens que carregavam os cestos dispuseram a refeição com grande fartura. Os outros foram abordados por Smith e começaram a conversar de modo cerimonioso. Quando eles sugeriram que os homens brancos deixassem suas armas de lado e se sentassem para se alimentar, Smith respondeu que era costume dos ingleses, à noite, sempre comer de pé, com a comida em uma das mãos e o mosquete na outra. Por muito tempo, essa interação se deu; Smith não deixou transparecer que tinha descoberto o plano deles.

Então, os índios, surpresos, voltaram para a floresta, para esperar pelo momento em que eles pudessem pegar os brancos desprevenidos. Mas apesar de terem espiado durante toda a noite, nem uma vez eles encontraram os sentinelas fora de seus postos, e sentiram medo demais de seus "tubos da morte" para tentar atacar homens tão bem preparados.

Assim, graças a Pocahontas, a manhã chegou sem qualquer morte entre os ingleses, e quando a maré subiu, eles entraram no barco e voltaram a Jamestown com as provisões obtidas depois de muita tensão.

Capítulo 15

Uma despedida

O sol do fim do verão incendia inclemente nas cabanas e nas áreas abertas de Werowocomoco. Até mesmo as crianças estavam quietas nas sombras, cobrindo a cabeça com as folhas compridas do milho, fazendo tranças nos fios e murmurando a música da Festa do Milho Verde que eles tinham comemorado algumas semanas antes. Os velhos guerreiros fumavam e cochilavam em suas cabanas, e as mulheres índias deixaram o amassar do milho e seu cozimento para depois. Apenas os jovens guerreiros, orgulhosos demais para parecer afetados por qualquer condição climática, continuaram seus afazeres, afiando pontas de flechas ou correndo sob o sol, até um velho e sábio cacique repreendê-los dizendo que eles não passavam de meninos tolos.

Na mata, perto de uma depressão em um pequeno riacho onde trutas e lagostins se espalhavam no fundo da água transparente, Pocahontas estava deitada com os braços morenos esticados, a cor das agulhas de pinheiro embaixo deles. A folhagem de um enorme carvalho vermelho produzia sombra onde ela se abrigava; em meio às folhas, ela conseguia ver as nuvens brancas e densas, e uma águia passou voando como se estivesse subindo em direção ao sol. Longe de seus raios diretos, com o corpo frio devido ao banho no riacho e vestindo roupas leves de índia, ela se deliciava no calor do verão. Ela gostava da sensação de entorpecimento que tirava sua atenção das visões e dos sons da floresta: o bicar de um pica-pau em uma árvore distante, o pio ocasional de um pássaro, o correr discreto de um coelho ou esquilo, o zunido de uma abelha – tudo misturado em uma melodia de verão da qual ela não conseguia distinguir as notas individuais. Igualmente confusos eram seus pensamentos, imagens que seu relaxamento borrava, então ela passou sem esforço do riacho que tinha acabado de deixar para o campo iluminado pelo luar que ela e suas amigas tinham tomado algumas noites antes, entoando canções de colheita. Ela viu também o contorno do corpo forte de Garra de Águia enquanto ele esperava pelo sinal para partir na corrida em Powhata, quando ele tinha ultrapassado os outros; e então, ela parecia vê-lo correr de novo no dia em que Wansutis o salvou da morte.

Como se os muitos atos de violência daquele dia chamassem outros do mesmo tipo, ela viu, e não evitou ver, o destino dos holandeses em Werowocomoco, que tinham decidido trair Smith, convencendo Powhatan. O pai dela, irritado com eles, decidiu eliminá-los na porta da casa que eles tinham construído para ele.

Em seguida, Pocahontas começou a pensar em James-town, para onde eles raramente iam agora. Ela sorriu ao se lembrar da surpresa que sentiu ao ver as duas inglesas que tinham chegado recentemente ali: a srta. Forrest e sua aia, Anne Burroughs. Com curiosidade, as mulheres brancas e a menina índia tinham observado umas às outras, os cabelos, os olhos, as roupas diferentes! Em seguida, ela observou seu amigo, seu *irmão*, tão verdadeiro, bravo, que sempre se sagrava vitorioso. Ela tinha testemunhado o modo com que ele havia feito os colonos trabalharem, tinha visto a punição aplicada por ele a aqueles que desobedeciam as suas ordens com xin-gamentos – aquela ofensa que ela não conseguia compreender –, o derramar de água fria na testa das pessoas que faziam juramentos, em meio a risos de seus companheiros.

Ela continuou sorrindo ao pensar em Smith, nas palavras gentis que ele sempre tinha prontas para ela, do interesse que sempre manifestava por tudo que ela tinha para dizer a ele. Ele falava com ela como ela sabia que ele falava com poucos – de suas esperanças por aqueles homens que tinham que viver e crescer, e como os dois, se ele e sua *irmãzinha* pudessem fazer acontecer, os ingleses e os Powhatans deveriam esquecer suas diferenças e ser amigos, enquanto o céu e a terra existissem. Talvez, ele havia dito, *os casamentos entre os ingleses e os índios pudessem fortalecer aquela amizade.*

— Talvez você mesma, Matoaka – dissera ele, e parou. Ela tentava imaginar agora, como tinha imaginado antes, se talvez ele tivesse se referido a si mesmo.

Tal possibilidade era excitante, e ela teria gostado de deixar que sua mente a explorasse totalmente, mas seus olhos estavam pesados e as agulhas de pinheiro estavam macias e fragrantes, e em pouco tempo, o castor, que de uma depressão sob as raízes expostas do carvalho acima do riacho a observava com olhos brilhantes, ao vê-los fechados, escorregou para a frente para recomeçar seu trabalho na barragem que os pés dela tinham achatado.

Apesar de Nautauquas, ao voltar uma hora depois de uma missão de paz a uma tribo aliada, ter feito pouco menos de barulho do que o castor, Pocahontas despertou e ergueu a cabeça. Tirando as agulhas de pinheiro dos cabelos, ela se levantou.

— Olá, Matoaka! – disse seu irmão. — Você estava escondidinha aí, como um cervo.

— Quais são as novidades, meu irmão? – perguntou ela quando ele se sentou e, tirando seus mocassins, enfiou os pés cansados na água.

— Notícias ruins – respondeu ele, com seriedade —, para os amigos do grande Capitão.

— O que aconteceu com meu irmão branco? – perguntou ela. — Conte logo, por favor.

— Disseram que ele estava dormindo em seu barco, longe da ilha. Um saco grande de pólvora dentro do qual eles colocaram suas armas estava no fundo da canoa, e quando, de repente, uma faísca saiu do cachimbo e caiu sobre ele, o fogo que surgiu queimou sua carne até fazer com que ele despertasse e, desesperado, ele se jogou no rio para apagar as chamas.

Pocahontas, que não havia se abalado em saber do que havia acontecido com os holandeses, estremeceu dessa vez.

— Onde ele está agora? – perguntou ela. — Quero ir até ele.

Nautauquas olhou para ela como se quisesse fazer uma pergunta, mas não fez.

— Dizem que ele está indo para Jamestown e deve chegar lá amanhã.

Enquanto Pocahontas e Nautauquas voltavam a Werowocomoco ao pôr do sol, a garota parou na cabana de Wansutis.

— Se você veio aqui procurando ervas de cura para seu homem branco – disse a senhora antes de Pocahontas dizer qualquer coisa —, estou com elas prontas. — E assim, colocou um maço de plantas nas mãos da moça surpresa. — Mas – continuou a idosa —, ainda que elas curem nosso povo, não terão efeito nos males do homem branco se ele não acreditar nelas.

Então, ela voltou para sua cabana e Pocahontas se afastou em silêncio.

Não era a Pocahontas que Wansutis desejava ajudar, mas o capitão branco. A idosa nunca tinha falado com ele, nem dele para outros, mas ela tinha ouvido com atenção todas as histórias contadas a respeito dos poderes dele. Ela tinha certeza de que ele tinha mais conhecimento mágico do que seu povo, e esperava o dia em que poderia convencê-lo a dividir parte desse conhecimento com ela. O fato de ele estar ferido e em perigo não mudava a opinião dela. Alguns remédios eram melhores para certos males do que outros. Talvez as ervas dela nesse caso fossem mais fortes do que a magia dele.

PRINCESA POCAHONTAS | 195

Antes que a noite terminasse, Pocahontas já tinha começado sua partida a Jamestown. Ela foi sozinha, já que por algum motivo, não pretendia conversar com ninguém. As tempestades de trovão tinham esfriado o ar e amolecido a terra. Ainda era cedo quando ela chegou à cidade, agora mais desenvolvida, abrigando cinquenta casas. No cais, ela viu homens correndo de um lado a outro em direção ao navio, amarrado com cordas aos postes, com montes de pele de urso e de raposa, como ela os tinha visto comprar de seu povo, e caixas e baús até o deque. Um destes pareceu estranho para ela, como o que ela tinha visto na casa de Smith – de couro de Córdova com uma tranca de ferro fundido. *Sem dúvida,* ela pensou, *ele o está mandando de volta repleto de presentes para o rei de quem ele tanto fala.*

Ela tomou o caminho da casa dele e antes de chegar lá, ela viu que a cama dele tinha sido levada para fora e que ele estava deitado nela, recostado nos travesseiros. Ela reconheceu também o médico no homem que o estava deixando. Agora, com sua disposição, ela correu pelo resto do caminho e Smith, ao vê-la, acenou discretamente.

— Ai, meu irmão – ela gritou ao pegar a mão dele, e viu como a mão dele estava mais magra —, ai! Como você se feriu?

— Você escutou, Matoaka? – respondeu ele, sorrindo bravamente apesar de sua dor. — E você, que sempre veio a Jamestown, trazendo ajuda e conforto.

— Tenho ervas aqui para seu ferimento – respondeu ela, tirando-as de seu saco. — Elas curam depressa. São ótimo remédio.

Como ela poderia ajudá-lo a acreditar no poder deles, ela havia perguntado a si mesma naquela manhã. O que Wansutis quis dizer?

— Agradeço a você, irmãzinha – respondeu ele delicadamente —, por sua consideração e pelo caminho que percorreu. Antes de você chegar, meu coração estava triste, pois eu dizia a mim mesmo: como posso partir sem me despedir de Matoaka? Mas como posso mandar uma mensagem que a traga aqui a tempo?

— Partir! – exclamou ela. — Para onde você vai?

— Para casa, para a Inglaterra. O médico que acabou de partir concluiu hoje cedo que a habilidade dele não é grande o suficiente para curar meu ferimento, que devo voltar para que os homens sábios de Londres me curem.

— Não, não – disse Pocahontas —, você não pode ir. Nossas mulheres sábias e nossos xamãs têm segredos e conhecimentos que você não tem. Eu os chamarei e sua ferida, em breve, estará tão limpa quanto a palma da minha mão.

— Será, irmãzinha? Tenho visto, na verdade, curas estranhas entre seu povo. E se meu problema fosse uma febre, como pode parecer para eles, ou o resultado de uma flechada, eu certamente deixaria os xamãs cuidarem de mim. Mas a pólvora para eles é algo desconhecido, e os remédios dele não me ajudariam.

— Então, você vai embora? – perguntou ela com a voz baixa e tomada de desespero.

— Sim, Matoaka, preciso ir, ou minha morada logo será ali – e apontou para as covas. — É ruim partir agora e deixar meu trabalho inacabado, saber que meus inimigos se vangloriarão...

— Morrerei quando você se for – ela o interrompeu, ajoelhando-se ao lado dele —, você se tornou como um deus para Matoaka, um deus forte e maravilhoso.

— Irmãzinha! Irmãzinha! – ele repetiu enquanto acariciava os cabelos dela. Mais uma vez, ele voltou a pensar no que já tinha pensado: que talvez, quando aquela menina estivesse grande, ele pudesse tê-la como esposa. Isso poderia acontecer.

Ela permaneceu ajoelhada ali, ainda em silêncio, e então perguntou, com a voz tomada de esperança e ansiedade.

— Você vai voltar para nós?

— Pode ser que eu volte, Matoaka. Se eu viver, nós nos veremos de novo.

Ele não disse a ela o que estava pensando – que nenhuma Dorothy nem Cicely inglesa, de cabelos loiros e rosto rosado, seria tão amada por ele quanto ele agora notava que havia passado a amar aquela menina da floresta.

E então, acreditando totalmente que seu *irmão* cumpriria o que prometeu, o ânimo de Pocahontas melhorou. Ela não tentou calcular as semanas e os meses que se passariam antes que ela o encontrasse de novo. Ela se sentou ao lado dele no chão e escutou enquanto ele contava para ela tudo o que estava deixando para trás, e seu amor e preocupação com a Colônia.

— Veja, Matoaka – disse ele, com a voz cada vez mais forte —, este lugar é como se fosse um filho meu, é muito amado por mim. Passei noites em claro e dias cansativos, sofri com frio e fome e com a inveja de homens por causa dele; não por acaso, até a morte. E você também tem demonstrado grande boa-vontade, até de fato este lugar se tornar seu e também amado por você. Agora que preciso partir, deixo Jamestown a seus cuidados. Pode continuar cuidando daqui, a fazer tudo o que estiver a seu alcance pelo bem do local?

— Farei isso com alegria, meu irmão, quando deixá-la como uma mulher índia sem seu guerreiro. Nem um dia vai se passar sem que eu espie nas florestas para ver se tudo está bem; meus ouvidos devem se aguçar toda noite para que o perigo não se aproxime. *Jamestown é amiga de Pocahontas*, direi ao sol para que não venha muito forte sobre ela. *Pocahontas ama Jamestown*, vou sussurrar ao rio para que não avance demais nas barrancas da ilha e... – aqui, o tom meio brincalhão mudou e passou a ser mais sério. — Eu, que me mantenho próxima do coração de Powhatan sussurrarei todos os dias em seu ouvido: *Não prejudique Jamestown, se você ama Matoaka.*

Um olhar de grande alívio tomou o rosto do homem ferido. Realmente era algo incrível que a expressão de amizade de uma garota fosse capaz de acalmar as ansiedades dele.

— Agradeço a você de novo, irmãzinha – disse ele. — E agora, eu me despeço, pois ali estão vindo os marinheiros para me levar ao navio.

Pocahontas se levantou e, inclinando-se para ele, despejou palavras doces de despedida em idioma indígena. Então, quando os homens se aproximaram, ela fugiu em direção aos portões e foi para a floresta.

John Smith, deitado na proa do navio, colocou-se ali para ficar mais perto do mar, como desejava, e pensou, enquanto o navio passava devagar ao lado da próxima curva no rio, ter visto uma saia de camurça branca entre as árvores.

Capítulo 16

Capitão Argall faz um prisioneiro

E nos três anos que tinham se passado desde o retorno de Smith à Inglaterra, Pocahontas não se esqueceu da confiança que ele havia depositado nela. Muitas foram as vezes em que ela tinha enviado ou levado ajuda aos colonos durante o terrível "período de fome", e afastava o mal deles. Quando se viu impotente para impedir o massacre de Ratcliffe e trinta de seus homens, perpetrado por Powhatan, conseguiu, pelo menos, salvar a vida de um dos homens dele, um rapaz chamado Henry Spilman, a quem ela mandou a uma tribo amiga, os Patowomekes. Com eles, ele viveu por muitos anos.

Mas as relações dela com Jamestown e sua gente, apesar de serem muito amigáveis, não eram mais tão íntimas quanto tinham sido quando Smith era presidente, e ela ia lá cada vez menos.

Uma das pessoas que gostavam da presença dela era Garra de Águia. Ele detestara os homens brancos desde o começo e tinha feito o que podia para destrui-los no massacre de Ratcliffe, apesar de nunca ter contado a Pocahontas que havia participado dele. Agora, ele era um guerreiro, testado em coragem e resistência em diversos grupos de guerra contra inimigos de sua tribo adotada, cuja honra e avanço ele considerava como seus. O próprio Powhatan havia elogiado os feitos dele no conselho.

Um dia, Wansutis disse a ele:

— Filho, está na hora de você levar uma índia para dentro de sua cabana. Minhas mãos estão ficando fracas e uma mulher jovem vai servi-lo com mais rapidez do que eu. Olhe ao redor, meu filho, e escolha.

Garra de Águia andava pensando havia muitas luas que havia chegado o momento de levar uma índia para sua cabana, mas não precisava olhar ao redor e escolher. Já tinha escolhido, e apesar de ela ser a filha do grande Powhatan, ele não duvidava que o cacique a daria a um de seus melhores guerreiros. E assim, numa noite do *taquitock* – o outono indígena –, quando o brilho vermelho das florestas estava meio escondido na névoa azulada que vinha com o retorno dos dias lânguidos e suaves depois que a geada havia pintado as árvores e amadurecido as castanheiras e os caquis, Garra de Águia pegou sua flauta e partiu sozinho.

Não muito longe da cabana de Pocahontas, ele se sentou em uma pedra e começou a tocar notas lamentosas com as quais o índio apaixonado contou de sua saudade pela moça a quem ele tornaria sua mulher.

— Você ouviu isso, Pocahontas? – perguntou Cleopatra, que estava espiando. — É Garra de Águia se lamentando por você. Vá, irmã, deixe o coração dele feliz, pois não temos nenhum guerreiro que se compare a ele.

— Não serei a mulher dele. Vá você, se quiser. – E Pocahontas não saiu de sua cabana naquela noite, apesar de a melodia suave continuar até o dia clarear.

Mas Garra de Águia não se desesperou. Tinha ganhado fama como guerreiro e também como caçador bem-sucedido. Nunca voltava de mãos vazias para a cabana de Wansutis. Por mais rápido que fosse o cervo que ele perseguia, por mais depressa que voasse sua caça, ele sempre pegava a presa. E sempre se esforçava para ter sucesso.

Então, mesmo quando Pocahontas saía de Werowocomoco para visitar seus parentes, os Patowomekes, ele ia com calma e passava os dias construindo uma nova cabana perto da de Wansutis, para que ficasse pronto para o dia em que ele tivesse que levar sua mulher para acender sua primeira fogueira a céu aberto.

Enquanto isso, as coisas em Jamestown estavam indo de mal a pior. A fome tinha se tornado um visitante quase permanente ali. Sir Thomas Gale ainda não tinha chegado da Inglaterra e não havia ninguém ali para comandar a Colônia com a mão firme de John Smith. Mas, por fim, ficou decidido no Conselho que o Capitão Argall deveria ir para a tribo dos Patowomekes e negociar com eles para conseguir grãos.

Japezaws, o cacique, recebeu-o de um jeito bem amigável.

— Sim, venderemos milho a você como eu o vendi a seu grande Capitão quando ele chegou a nós. Quais são as notícias que você tem dele? Ele voltará para nós? Era um grande guerreiro.

Capitão Argall respondeu:

— Não sabemos dele. Talvez ele tenha morrido ferido. – E então, por estar com inveja do rosto de Smith entre os guerreiros, ele acrescentou: — A Inglaterra tem muitos bravos guerreiros e, assim, pensamos pouco nos que já se foram. Jamestown praticamente o esqueceu.

— Há um entre nós que não o esquece – Japezaws apontou para o vale atrás dele —, que sempre fala dele e de seus feitos.

— Quem pode ser? – perguntou o inglês, tentando entender se o vilarejo indígena mantinha presos alguns homens que há muito eram tidos como mortos.

— É Pocahontas, a amiga dele, que espera ansiosa, todas as luas, pelo retorno dele. Ela permanece entre nós, pois se tornou incansável como uma jovem guerreira, e Werowocomoco a protege.

Enquanto Japezaw falava, Argall pensou em algo; e enquanto os escravos sob o comando de Japezaw espalhavam milho e carne seca, o inglês estava desenvolvendo sua ideia, até a grande carga de grãos amarelos acabar na frente dele, com o plano totalmente formado.

— Gostaria, Japezaws - começou ele, como se tivesse acabado de ter a ideia —, que Powhatan, o pai dela, tivesse tanto amor por Jamestown quanto sua filha. Ele nem sequer vai nos vender provisões, apesar de seu armazém estar lotado. Se pudéssemos fazer com que ele visse isso, seus ganhos seriam maiores do que os nossos. É só esperarmos mais algumas colheitas para termos comida em abundância, mas onde encontraremos chaleiras de cobre, espelhos e facas de aço brilhoso? Como pagaríamos a ele em troca do que ele não precisa?

Os olhos do velho cacique brilharam, cobiçosos.

— Quero umas facas brilhosas; quero ver um vaso que não se quebre quando minhas índias o deixarem cair em uma pedra. Quero algumas das maravilhas que você mantém em suas cabanas.

Argall sorriu; o alvo tinha sido acertado.

— Só é preciso que um homem corra até Jamestown e volte, se você fizer o que peço.

— E o que você deseja? – continuou Argall. — Você sabe que Powhatan nos roubou nossas armas e mantém alguns de nossos homens em cativeiro. Se ele fizer paz conosco, não precisaremos atravessar as florestas com nosso grupo até Werowocomoco, e as vidas de muitos índios serão poupadas.

Nesse momento, Japezaws gemeu, mas Argall não pareceu notar.

— Se mantivermos preso alguém estimado por Powhatan, nós o forçaríamos a fazer o que queremos.

Ele fez uma pausa e olhou para o índio que, independentemente do que podia ter pensado, não deixou transparecer.

— Se nos entregar a Princesa Pocahontas – continuou Argall —, ela pode ser levada a Jamestown e ali, mantida com cuidado, na casa de uma senhora cuidadosa, até Powhatan concordar com nossos termos e ela ser devolvida em segurança a seu pai. E para você, por sua ajuda, receberá presentes como nunca viu, e como ninguém, nem mesmo Powhatan, já recebeu.

Japezaws ficou um tempo em silêncio. A mulher era sua convidada, e seu povo sempre manteve o compromisso sagrado da hospitalidade. Mas ele sabia que nada aconteceria com ela. A amizade do inglês com ela era conhecida em toda a sua tribo e o grande afeto do pai dela para com ela, sua filha preferida. Em um ou dois dias, ela seria recuperada por Powhatan, e por sua vez, ele, Japezaws, conseguiria o que tanto desejava ter. Não desperdiçou tempo nem palavras:

— Encontre-me aqui ao entardecer, e eu a trarei a você.

Garra de Águia não pensava em se afastar da cabana de Wansutis nos próximos dias. Havia comida à vontade ali e ele precisara se ocupar com a manufatura de novos arcos e flechas. Mas Wansutis, deixando cair a pedra com que ela estava ralando o milho, olhou para a frente de repente, como se tivesse ouvido vozes distantes. Mas o jovem não ouviu nada. Então, disse:

— Filho, se de fato você está interessado em uma determinada moça para ser sua mulher, vá procurá-la de uma vez no vilarejo dos Patowomekes. Ela está ali há muito tempo.

Garra de Águia não pediu nenhuma explicação para as palavras de sua mãe. Ele havia notado que ela parecia ter algum conhecimento estranho que ele não conseguia entender, mas respeitava. Assim, sem qualquer discussão, com apenas uma palavra de despedida, ele pegou o arco, a alijava, o cachimbo e partiu.

Ao se aproximar do vilarejo dos Japezaws no fim da jornada de vários dias, disse a si mesmo: *Em três dias, voltarei por aqui com minha mulher. Não mais esperarei enquanto ela finge não me ouvir. Ela vai ouvir e me seguir para a minha cabana.*

Sabendo que estava em uma tribo aliada e amigável, Garra de Águia percorreu do modo mais direto e mais tranquilo, como teria feito em Werowocomoco ou Powhata. Mas, de repente, como um cervo que sente o cheiro de um urso, ele parou, com as narinas trêmulas. Então, posicionando-se atrás de uma árvore, ele levou a flecha ao arco.

Um homem branco, ele pensou, muito antes de seus olhos o encontrarem.

Escondido pela árvore, ele esperou e observou passar o homem que ele sabia ser o novo capitão inglês, e para sua surpresa, viu que mulheres o acompanhavam, dentre elas, uma mulher dos Patowomekes. Era a mulher de Japezaws, e sob a orientação dele, ela estava agindo.

— Como você já viu muitas vezes as cabanas dos caras-pálidas – Garra de Águia escutou quando ela disse a Pocahontas — é normal que você pense que quero ver com meus olhos as coisas estranhas que eles fazem e as maravilhas que o cacique branco guardou na canoa?

— Não me surpreende – Pocahontas riu —, e na verdade, me alegro em ir com você, e com algumas das palavras da língua deles que não esqueci, posso perguntar por você as perguntas que você faria para ele. Eu também tenho perguntas para fazer para ele.

Quando passaram, o guerreiro as seguiu, longe o suficiente para que o ouvido afiado de Pocahontas não escutasse seus passos, que teriam sido silenciosos para o inglês.

Na barranca na qual a embarcação estava parada, ele procurou se esconder atrás de uma pedra grande, sem tirar os olhos das mulheres a sua frente. Ele as observou embarcando, viu os marinheiros ingleses se erguerem para recebê-las, e escutou o grito animado da índia enquanto Pocahontas explicava, até onde conseguia, o significado de âncora e vela, de utensílios de cozinha e mosquetes. Ele viu o Capitão Argall abrir um pequeno baú e entregar presentes para as duas mulheres, a índia de Japezaws gritando alegre enquanto contas e lenços bonitos eram entregues a ela.

Garra de Águia esperou para ver o que aconteceria em seguida. Depois de passar uma hora observando as duas mulheres se aproximarem da costa pela lateral do bote, a índia de Japezaws foi para a areia e correu para dentro da floresta. Pocahontas estava com o pé apoiado na amurada para segui-la quando para Capitão Argall segurou seu braço.

— Venha conosco para Jamestown, Princesa – disse ele —, nós a levaremos para uma visita.

Pocahontas se irritou. Nunca na vida ela tinha sido segurada à força. Não costumava desperdiçar tempo nem força com combate, mas procurou se soltar dele. O inglês a segurou com firmeza, mas delicadamente, e enquanto ela relutava, os marinheiros empurraram o barco para a água.

Garra de Águia se ergueu de modo a poder mirar melhor e atirar uma flecha no inglês. Acertou o capitão assustado no gibão de couro, mas só tirou seu fôlego.

— Atire nas árvores – disse ele, ainda segurando Pocahontas.

Um dos marinheiros começou a mirar em direção a um inimigo invisível, quando Garra de Águia, notando que o barco escapava depressa de seu alcance, correu para uma área exposta e lançou uma segunda flecha. Mas antes que ela partisse, o tiro do mosquete do soldado o acertou no ombro. Quando ele caiu, Pocahontas gritou horrorizada, pois tinha visto quem era a pessoa atingida.

Capítulo 17

Pocahontas perde um amigo

Era a segunda noite do cativeiro de Pocahontas. Ela tinha sido contida apenas o suficiente para que não pulasse do barco. Argall e os marinheiros a trataram com todo o respeito, tanto por regra quanto por vontade. Ainda assim, ela estava muito infeliz e solitária: ela sempre tinha sido tão livre para ir e vir que era quase dolorido estar fisicamente presa dentro dos limites estreitos do bote. Várias vezes, ela tentou fugir do controle dos marinheiros, mas sua espertaza, que na praia teria mostrado a ela uma maneira de escapar, era inútil no barco desconhecido. Sua raiva em relação a Japezaws e suas mulheres aumentava todas as vezes em que ela pensava na traição cometida por eles. Em sua mente, ela repassava o castigo que imploraria que seu pai aplicasse neles.

— Esperem! – ela gritou, e os marinheiros se perguntaram o que ela estava dizendo de pé ali, olhando por cima da popa na direção do vilarejo dos Patowomeke, com os olhos brilhando. — Esperem até Nautauquas chegar com meu pai para torturar vocês!

Então, antes de se cansar planejando o destino deles, pensou em Garra de Águia. Será que ele estava morto na floresta? Ele sempre tinha sido um ótimo companheiro, ela pensou; corajoso, forte! Mas naquele momento ele devia estar morto, caso contrário teria conseguido segui-la.

À noite, o barco ancorou no centro do rio, que ali se alargava para dentro de uma pequena baía. Capitão Argall, que não soubera o que fazer em relação ao ataque de Garra de Águia, não tinha certeza de que Japezaws não o havia enganado. Por isso, tinha feito tudo depressa na primeira noite e no dia seguinte. Agora, seus homens cansados precisavam descansar e, como não havia sinal de perseguição, ele havia deixado que eles dormissem. Apenas um marinheiro ficou acordado para vigiar, mas este também estava com sono e cochilou, acordando assustado algumas vezes, mas ao ver que tudo estava bem, voltou a dormir.

Pocahontas estava sozinha na popa, com a cabeça apoiada em um rolo de tecido de vela que chegava à altura da amurada. Argall tinha feito tudo o que podia para deixá-la confortável e não se dirigia a ela de outro modo que não fosse com o chapéu na mão, inclinando-se. Ela também tinha adormecido, com os olhos molhados das lágrimas que não chorava durante o dia. Sonhou que de novo estava em Werowocomoco e tinha acabado de sair de sua esteira, correndo ao luar, como sempre fazia.

De repente, um som fraco fez com que ela despertasse, um som um pouco mais alto do que o bater da água contra as laterais do barco, o que tinha feito com que ela adormecesse. Ela abriu os olhos, mas não se mexeu, e esperou, tensa e animada. Um peixe saltou para fora da água, e então tudo ficou em silêncio de novo e ela fechou os olhos pesados mais uma vez. E então, aconteceu de novo, não mais alto do que o vento nas árvores na praia:

— Pocahontas!

Erguendo-se e apoiando-se com o cotovelo, com um movimento silencioso, ela espiou a água escura acima da amurada. Uma mão saiu da escuridão e segurou seu pulso. Ela não precisou de luz no rosto da pessoa para saber de quem se tratava.

— Garra de Águia – sussurrou ela —, é você? Pensei que a arma do homem branco tivesse te matado, e estava sofrendo por isso.

— Permaneci desmaiado por uma hora – respondeu ele quando se ergueu na água e se apoiou na lateral do bote com as duas mãos. — Mas ainda bem que fui ferido no ombro e não na perna. A rigidez me deixou lento, como um urso que foi ferido em uma armadilha. Mas cobri o ferimento com lama e acompanhei você de perto pela praia.

— Eu sabia que você me encontraria, se não estivesse morto – sussurrou ela.

— Sim, eu te encontrei, Pocahontas — e a voz do jovem estava decidida. — Não perca tempo. Abaixe-se aqui em silêncio, como se estivesse observando um cervo. Vamos nadar dentro da água até irmos além do alcance dos ouvidos dos homens brancos e em menos de três dias, estaremos em Powhata, onde seu pai está.

Pensar em sua casa fez Pocahontas refletir: o interesse de toda a sua tribo em tudo o que ela fazia; o afeto de seu pai e de seus irmãos, as caçadas na floresta e no rio, a liberdade de seu dia a dia. Aquela era sua chance de voltar para eles. Se ela não aproveitasse, o que esperava por ela? Um terror do desconhecido tomou conta dela pela primeira vez. Saber que um velho e conhecido amigo estava por perto era tão gratificante quanto uma luz brilhando em uma noite escura. Mas ela respondeu:

— Não posso ir com você, Garra de Águia.

O jovem guerreiro resmungou, surpreso.

— Você não sabe – disse ele — que os Japezaws traíram você, que você ficará presa em Jamestown para que eles possam forçar Powhatan a fazer o que os ingleses quiserem?

— Sim, eu sei. O capitão Argall me contou tudo.

— E ainda assim, você hesita? Você, filha de um poderoso cacique, está *com medo* de tentar fugir?

Ela não tentou responder àquilo, mas sussurrou:

— Se você tivesse vindo ontem à noite, eu teria concordado com você. Na verdade, eu tinha decidido escapar hoje à noite, independentemente de quais fossem as dificuldades. Pocahontas tem faca e sabe usá-la. Mas hoje comecei a pensar diferente, pois tive muito tempo para pensar. Você sabe que o cativeiro é tão assustador para mim quanto é para uma ave selvagem; mas enquanto ficava aqui, sozinha, sem nada para fazer, segui um caminho em minha mente que levou a Jamestown, por isso quero ir para lá.

— Mas por quê? – perguntou Garra de Águia.

— Porque se eu for, acredito que poderei servir à nossa nação e aos ingleses. Meu irmão, John Smith, disse que devemos ser amigos, e prometi para ele cuidar do bem-estar de seu povo. Meu pai me ama tanto que, para me libertar, acho que ele vai fazer o que os ingleses querem, então irei com o Capitão Argall para que os conflitos possam ter fim entre eles e nós. Mas... – E ela falou mais alto de modo que Garra de Águia teve que fazer com que ela se lembrasse do perigo que corriam, apertando sua mão. — Mas não vou interceder por aquele traidor Japezaws e sua mulher ardilosa. Meu pai pode se vingar deles quando quiser.

Sua voz, baixa como era, estava agora mais alta, e o ouvido atento do garoto tinha notado o movimento dos passos de um homem no deque de madeira. Eles se mantiveram parados, sem fôlego, por um momento; então, quando tudo se acalmou de novo, Garra de Águia disse com tristeza, num tom lamurioso como o vento soprando pelos pinheiros:

— Então você não virá comigo? Construí uma cabana para você, Matoaka, com um buraco para a passagem da fumaça grande o bastante para você ver a lua toda, a lua que você tanto ama. Minhas flechas tinham matado cervos filhotes e perus, e eu havia defumado e pendurado carne para você, para durar todo o *popanow*. Uma jovem moça se sente solitária até seguir seu guerreiro. Fui ao vilarejo de Japezaws para cantar a você. Corri, ferido, pelas florestas e nadei pela corrente escura para contar isso a você, e você me mandou de volta sozinho. Mas se você não tem interesse em entrar na cabana de Garra de Águia, deixe que ele pelo menos leve você em segurança para a cabana de seu pai.

— Agradeço a você, Garra de Águia, por tudo o que tem feito – sussurrou ela —, e tudo o que faria para mim. Não existe guerreiro mais corajoso nas trinta tribos e não existe caçador melhor desde Michabo. Mas ouvi meu *manitou* e ele me disse: "*Lembre-se do que você disse a seu irmão branco*".

Garra de Águia sabia que era inútil pedir, mas ainda assim pediu:

— Volte comigo, Matoaka. O que são os homens brancos para você e eu?

Mas ela sussurrou:

— Vá, Garra de Águia, vá depressa antes que os marinheiros despertem. Volte depressa à velha Wansutis para que ela possa fazer um curativo em seu ferimento, e volte a Powhatan e diga que ele deve comprar a liberdade de Pocahontas dos ingleses devolvendo os homens que mantém como prisioneiros.

Enquanto ela ainda falava, a mente do jovem guerreiro não parava de pensar. No começo, o respeito que ele devia a ela como filha do grande cacique foi mais forte do que tudo e ele pensou que precisava se despedir e deixá-la. Mas aos poucos, ele começou a pensar nela como uma jovem, uma moça forte e corajosa, mas não tão forte quanto um homem, que agora precisava da ajuda de um guerreiro. Ele odiava os ingleses mais do que nunca, e a promessa de Pocahontas de ajudá-los parecia para ele apenas uma bobagem de menina. Que todos morressem na ilha ou voltassem atravessando o mar, para o lugar de onde tinham saído.

Por que ela deveria ir com eles? Por que ele deveria deixá-la? Como saber que tratamento ela receberia longe de seu povo? Se ele a resgatasse e a levasse de volta a seu pai, não agradaria muito a Powhatan, que não negaria entregá-la a ele como mulher? Se ela não fosse para casa por livre e espontânea vontade, ele a levaria contra sua vontade, para seu próprio bem.

Resgatar Pocahontas! E além disso... matar os odiosos homens brancos! Eles não o haviam ferido e a levado embora? Não havia muitos deles e todos estavam adormecidos. Enquanto ele e Pocahontas conversavam, ele tinha saído da água e sentado com as pernas para fora da amurada. Ele se ergueu e sussurrou:

— Antes de partir, eu saberei como é a canoa deles. Não tenha medo de mim; não há perigo, mas não se agite.

Ela queria teimar com ele, mas ele já estava um pouco longe, à frente dela, caminhando devagar como se o deque fosse formado por pedregulhos que rolariam e que o trairiam com seu barulho, e ela não se deu ao trabalho de chamá-lo. Ela viu quando ele se aproximou de um marinheiro adormecido – mas estava escuro demais para ela ver que ele havia colocado a mão sobre a boca do homem e com a faca na outra, ele havia acertado o coração dele.

A reação do marinheiro à morte não foi ruidosa e quando eles terminarem, Garra de Águia se movimentou devagar e foi para o próximo.

Havia algo sinistro no silêncio, na opinião de Pocahontas; ela começou a notar que não era apenas a curiosidade o que mantinha Garra de Águia ali, mas ainda assim, não ousava ir atrás dele.

A segunda vítima foi atacada com a mesma facilidade da primeira, mas apesar de ter acordado antes de ser apunhalada, não conseguiu fugir. O jovem guerreiro, cujo desejo de matar aumentava conforme ele avançava, olhou ao redor à procura do capitão Argall. Já estava amanhecendo, e ele conseguia distinguir as formas dos outros quatro homens. Ele se inclinou sobre um deles; sua mão, ardendo em febre pela ferida e pela emoção, tocou o rosto do homem, e não sua boca. O marinheiro gritou instantaneamente, antes mesmo de despertar; e Garra de Águia, notando que seu jogo tinha terminado, guardou sua faca enquanto corria em direção à popa.

Ele poderia ter subido no barco com mais facilidade, mas apesar de não ter conseguido matar todos os seus inimigos, ele pretendia salvar Pocahontas. Correu em direção a ela, seguido pelo marinheiro. Argall e os outros dois da tripulação, assustados com o grito, foram logo atrás. Garra de Águia pegou Pocahontas no colo e antes que ela desse conta do que estava acontecendo, ele a jogou dentro do rio.

O marinheiro, que tinha sido levemente ferido pela faca do jovem guerreiro, havia pegado seu mosquete enquanto partia correndo. Seus antepassados tinham atuado com Robin Wood, arqueiros habilidosos e remadores de Henrique V em Agincourt, cujas flechas nunca erravam os alvos franceses. Ele contava ainda com uma visão aguçada e os braços fortes, além do mosquete.

— Não atire, Mark! – gritou Argall, sem fôlego. Ele não sabia o que tinha acontecido antes de seu despertar, mas seus pés tinham tropeçado sobre os corpos mortos de seus homens. — A princesa índia está ali, na água. Não atire, pelo amor de Deus, ou acabaremos com todas as tribos de índios da América em Jamestown!

Mas Mark já tinha visto os dois homens na água, tão perto que os olhos mais velhos de Argall pensaram se tratar de apenas uma pessoa. E assim que Garra de Águia, prejudicado por seu ombro ferido, estava prestes a mergulhar no rio para nadar submerso, Mark mirou. A bala acertou o alto da cabeça, abrindo a pele perto na altura do escalpo, mas não foi muito fundo.

Pocahontas viu que ele não tinha sido muito ferido, mas o sangue escorrendo por seu rosto e para dentro de sua boca e nariz impedia que ele respirasse fundo o suficiente para nadar submerso. Sua fraqueza devido ao outro ferimento, também, tornava seus movimentos mais lentos. Antes que conseguisse abrir uma distância segura entre ele e o topo, o marinheiro acabaria atirando de novo.

Mas ele não atiraria nela – ela chegou a pensar nisso!

Com algumas braçadas rápidas, ela conseguiu alcançar o guerreiro e passou o braço por baixo do ombro ferido dele, erguendo-o.

— Agora, Garra de Águia – gritou ela —, vamos à costa. Eles não ousarão atirar em mim.

E Argall e seus homens viram sua refém e o assassino de seus companheiros fugindo, enquanto eles pareciam incapazes de impedir. Apesar de as braçadas de Garra de Águia se tornarem cada vez mais lentas, a força de Pocahontas o ajudava. Na costa, os ingleses sabiam que apesar de estar mais lento devido a seu ferimento, os dois poderiam se esconder de modo a fazer com que nenhum homem branco conseguisse encontrá-los. Além disso, era possível que outros índios estivessem escondidos na floresta.

— Fomos enganados! Enganados! – gritou Argall, batendo o punho cerrado na outra mão espalmada, decepcionado.

Mas Mark não era de abrir mão de perseguições. Ele viu que os dois tinham chegado a um salgueiro com raízes entrelaçadas na outra barranca do rio. Por um segundo, o jovem e a moça, juntos, se seguraram naquele suporte natural, reunindo força para se puxarem para a terra firme. Ele notou que seria péssimo se permitisse que a filha de Powhatan se ferisse. Mesmo assim, estava determinado a tentar.

Para o horror de seu capitão, ele mirou com cuidado e atirou. Dessa vez, a bala acertou o alvo – acertou o jovem guerreiro na nuca, penetrando seu cérebro.

Horrorizada, Pocahontas tentou segurá-lo nos braços antes que ele afundasse com tudo, sem som, desaparecendo. Sumiu muito rápido! Morto! O garoto que era seu amigo, que havia tentado salvá-la!

Ela não conseguiu chorar enquanto flutuava sem um movimento consciente. Então, lentamente, ela se virou e nadou de volta na direção do bote, e os marinheiros se perguntavam se ela estava, na verdade, voltando para eles. Ela permitiu que o capitão Argall a ajudasse a subir pela lateral.

— Vou para Jamestown com você agora – foi só o que ela disse. Não deu explicação do que tinha acontecido e se recusou a responder às perguntas dele, nem quis dizer por que tinha decidido ir com eles sendo que tinha recuperado sua liberdade.

Eles tinham puxado a âncora e começaram a partir depois de reunir os companheiros mortos. O sol nascia, mas o vento ainda estava frio, e os marinheiros ofereceram seus casacos secos a Pocahontas para cobri-la, e colocaram alimentos a sua frente. Ela não comeu nada nem desviou o rosto do rio atrás dela.

Conforme eles começaram a navegar rio abaixo, ela se recostou na amurada e viu passar perto dela, o corpo de Garra de Águia. Ela ficou de pé, com os raios de sol iluminando seu rosto e os braços levantados, e cantou, em voz alta, uma canção de morte como sua tribo cantava enquanto o rio corria para desaguar no mar.

Capítulo 18

Um batizado em Jamestown

Pocahontas seguiu muito triste pelo resto da viagem a Jamestown. Garra de Águia era amado por ela como um irmão, e ela sentia muito por sua perda. Era lastimável estar longe de seu próprio povo e entre aqueles cujas maneiras e idioma eram estranhos para ela – e ela desejava encontrar Nautauquas, a quem não via havia muitos meses.

As notícias da chegada deles haviam se espalhado, e toda a Jamestown estava na beira da água para recebê-los. Capitão Argall pisou na areia e explicou que tinha trazido grandes quantidades de coisas e algo mais valioso do que tudo, a filha de Powhatan. Sir Thomas Dale, com toda a sua coragem, com seu melhor colete roxo e suas botas de couro, aproximou-se e, ajeitando o chapéu com uma pena, disse:

— Bem-vinda, Princesa, e não fique brava conosco se nós, com nossa cortesia, acabarmos por sufocá-la por um tempo. Não se incomode a ponto de não nos visitar de novo, venha passar dias com aqueles que muito devem a você desde o dia em que você salvou a vida do capitão Smith.

Pocahontas, cuja raiva vinha crescendo devido à traição demonstrada por Japezaws e Argall, pretendia mostrar que se ressentia; mas o nome do capitão Smith a desarmou. Ela se lembrou das palavras de despedida de seu irmão.

Ela seria amiga da colônia dele, como nunca antes. Então, ela sorriu para Sir Thomas e falou com aqueles a quem conhecia e permitiu que eles mostrassem a ela o caminho para a casa que tinham reservado para ela, a poucos metros da casa do governador. A sra. Lettice, esposa de um dos cavalheiros, se ocuparia dela, e lhe ofereceu algumas de suas peças de roupa para o caso de a moça índia desejar vesti-las. E Pocahontas, esquecendo-se dos perigos e da tristeza dos últimos dias, riu divertindo-se enquanto experimentava as saias e vestidos enormes.

— Enviarão um mensageiro até seu pai. Ao rei Powhatan – disse a mulher inglesa enquanto mostrava a Pocahontas como ajustar uma blusa que dava coceiras em seu pescoço, a ponto de ela fazer uma careta. — Ele avisará seu pai que você está aqui, e então, com certeza, em sua ânsia para te ver de novo, ele concordará com o que deseja Sir Thomas: que ele solte nossos homens e as armas que ele pegou, e nos dê trezentos lotes de milho. Talvez você queira mandar um recado a seu pai. Se quiser, há um garoto índio que trouxe peixe para permutar, e ele pode levar seu recado.

— Chame-o aqui, por favor – disse Pocahontas, falando lentamente, acostumando-se com as palavras em inglês.

Ela olhava para seu reflexo no espelho de moldura escura que ficava pendurado de frente para a porta, muito interessada em sua aparência diferente, quando o garoto entrou, acompanhando a sra. Lettice. Ela viu o rosto dele no vidro e o reconheceu como o filho de um cacique Powhatan. Ela se virou e olhou para ele, mas sabia que ele não a reconheceria. Ele não viu nada além das roupas, por isso acreditou que ela fosse inglesa. Isso foi muito divertido, ela pensou, e ela o observou com interesse para ver a surpresa em seu rosto quando ele notasse seu engano. Ela foi bem recompensada pela expressão confusa e surpresa dele, quando disse a ele:

— Esquilinho! – Quando parou de rir, acrescentou: — Leve esta mensagem à velha Wansutis. Diga a ela que seu filho, Garra de Águia, morreu com bravura e que Pocahontas sente a dor dela pela perda.

Então, dispensou o garoto. Enquanto ele se afastava, ela se lembrou que também queria que ele levasse um recado especial a Nautauquas, por isso começou a correr e a chamá-lo de volta. Mas, desacostumada ao peso das roupas e dos sapatos, ela não conseguiu se movimentar depressa, e foi tirando todas as peças até chegar à casa, gritando:

— Não! Não vou me prender nisso; quero minhas roupas de volta – e respirou fundo, satisfeita, quando se viu livre das roupas.

Se sua chegada a Jamestown tivesse se dado de outra forma, sem traição e sem compulsão ferindo seu orgulho, Pocahontas teria aproveitado muito sua estada e teria observado com mais atenção os modos dos ingleses. Mas, naquela situação, ela esperava, ansiosa, pela mensagem que seu pai mandaria de volta para os colonos. No dia seguinte, o mensageiro voltou, levando consigo os ingleses que tinham sido mantidos presos por Powhatan, além de algumas armas. Ele disse que o cacique afirmou que quando sua filha fosse devolvida a ele, ele entregaria o milho que os homens brancos pediam.

Essa resposta não deixou o Conselho satisfeito, e todos os dias havia discussões nas quais os homens brancos e os vermelhos procuravam conter ou abandonar uns aos outros. Os dois lados reconheciam o valor de Pocahontas como refém. Então não estava infeliz. Apesar de os colonos não terem feito o melhor que podiam para agir com gentileza e retribuir todo o cuidado que ela havia demonstrado pelo bem-estar deles, a política praticada por eles exigia que ela fosse tratada com consideração. Ela era bem recebida em todos os lugares, e passava do posto dos guardas até a casa do governador, fazendo perguntas, querendo saber de todos os detalhes, desde como atirar com um mosquete até esquentar cera e fazer um enorme selo vermelho que o Sr. John Rolfe, secretário geral da colônia, colava em todos os documentos enviados à Companhia em Londres.

Ele explicou tudo para ela, tomando o cuidado de escolher as palavras mais simples, porque achava muito prazeroso observar os olhos escuros dela se iluminarem quando ela começava a compreender algo que a havia confundido, e porque seu riso e sua movimentação na atmosfera masculina da sala do conselho eram uma mudança muito agradável em meio àquele silêncio tedioso. Ele era viúvo e, apesar de ter superado a tristeza pela morte da esposa, ainda sentia falta de uma companhia feminina. Por isso, ele não se opôs quando, um dia, Pocahontas disse:

— Venha comigo até a cidade e responda mais algumas de minhas perguntas. Guardei muitas perguntas, assim como um esquilo guarda nozes para o inverno. O que impede que o navio seja levado, na maré alta, para a água grande? Por que aquele homem se senta com as pernas esticadas? – E apontou o carpinteiro que tinha sido preso numa cadeira como punição por ter roubado. — E por que...

E Rolfe se viu ocupado, tão ocupado quanto um esquilo, respondendo todas as perguntas dela.

Ela logo satisfez a curiosidade que sentia em relação aos homens brancos, julgando, agora que os via mais de perto que, sob muitos aspectos, eles se pareciam com seu povo. E ao ver que sua leveza os agradava, ela começou a brincar com eles.

— O senhor quer comer um caqui? – perguntou ela a Rolfe, sorrindo para a armadilha que estava montando quando ficou na ponta dos pés para pegar uma fruta de um galho acima dela. E Rolfe mordeu o fruto dourado, sem saber que o caqui endurecido pela geada era só agradável aos olhos. Ela riu, divertindo-se, quando viu que ele havia congelado os lábios, sem saber se eles voltariam ao normal.

— Vou me vingar disso um dia – ele ameaçou fingindo estar irritado assim que pôde falar, mas ela apenas riu mais ainda.

Um dos motivos pelos quais Pocahontas queria permanecer em Jamestown era porque esperava ter notícias do retorno do capitão Smith. Todos os dias, ela perguntava, às vezes para a sra. Lettice, às vezes para Sir Thomas Dale, ou para qualquer pessoa com quem conversasse:

— Quando o capitão volta? Sinto saudade de meu irmão.

E um dizia uma coisa, outro dizia outra, alguns mentiam porque era mais fácil; alguns, por total desconhecimento, diziam ter ouvido rumores de que John Smith tinha voltado a lutar contra os turcos; ou que estava gordo e se tornara preguiçoso, vivendo em sua casa inglesa; que estava fazendo explorações mais ao norte da costa; que poderia chegar a Jamestown no próximo navio. E Pocahontas acreditava no que diziam porque desejava que fosse verdade, não se importava em esperar entre desconhecidos se tivesse a oportunidade de vê-lo.

O local da cidade que mais despertava sua curiosidade era a igreja. Os colonos já tinham substituído a primeira cabana por uma construção firme, com uma torre. Os sinos que chamavam toda a cidade para as orações do dia exerciam um estranho fascínio sobre a menina índia. Eles pareciam falar um idioma que ela não conseguia entender. Ela também não conseguia entender a cerimônia que tinha observado, dos homens e mulheres ajoelhando-se e dos clérigos de roupas brancas que estendiam os braços sobre eles.

— O que isso significa? – perguntou ela, e Rolfe, lembrando-se de que a conversão dos pagãos era um dos motivos dados pela Europa para mandar colônias ao Novo Mundo, tentou explicar os mistérios de sua fé para ela. Mas ele considerava essa tarefa muito difícil, e chamou o Reverendo Thomas Alexander Whitaker para ajudá-lo.

O zeloso e gentil ministro concordou em fazer isso. Estava ali uma grande oportunidade que ele desejava ter desde que chegara a Virgínia – tornar um índio convertido tão conhecido que sua conversão pudesse atrair outros. Além disso, ele tinha interesse na moça. Mas não era um assunto simples de se tratar. Pocahontas não sabia muito além de expressões simples em inglês, e ele achava necessário traduzir os longos e abstrusos dogmas teológicos em termos familiares. Ele quase havia entrado em desespero para que ela o compreendesse, mas se lembrou de como seu senhor havia ensinado com parábolas. Por isso, ele contou de novo os incidentes de Sua vida em histórias que mantiveram a índia encantada. Ele mostrou a ela fotos de livros com capa de couro, e tentou, com menos sucesso, explicar o sentido das missas diárias que ele realizava na igreja.

— Por que você sempre coloca flores nessa mesa? – perguntou ela, apontando para o vaso no altar que o sacerdote sempre mantinha cheio com flores frescas, enquanto as florestas e a barranca do rio podiam fornecê-las. — Que bem faz o deus delas?

— Você não gosta do sol, Princesa? – perguntou o padre enquanto eles se sentavam à sombra fria da igreja escura olhando pela porta aberta para galhos verdes que balançavam, e também para o rio à frente. — Eu já vi você erguer os braços em um dia bonito, quando as nuvens brancas se moveram pelo céu azul como se você fosse abraçar a terra toda. Por que sente prazer nessas coisas?

— Porque – hesitou a moça, procurando um motivo —, porque elas me fazem feliz.

— Porque – ele acrescentou — elas são lindas. E o Deus que criou toda essa beleza se alegra com ela... em campos verdes e árvores nobres, em moças adoráveis, homens fortes e crianças felizes. Por isso, nós colocamos belas flores na mesa Dele.

— E ele não gosta dos feitiços de xamãs, de profetas e de flagelo? – perguntou ela.

— Não – respondeu ele —, essas coisas são do Diabo. Nosso Deus pregou amor. Reflita sobre a diferença.

E Pocahontas fez o que ele mandou. Seu espírito estava amadurecendo naquela nova atmosfera como uma vinha em movimento, crescendo mais e mais. A gentileza paterna do Dr. Whitaker para com ela e para com toda a colônia tornou-se para ela o símbolo da gentileza do Deus sobre quem ele ensinou a ela. Então, também, aquela nova e desconhecida divindade era o deus de seu irmão, John Smith; e do que ele gostava, ela queria conhecer também.

Por semanas, eles continuaram e, por fim, o Dr. Whitaker disse ao Sir Thomas Dale que acreditava que a princesa índia agora estava suficientemente impressionada com os ensinamentos do cristianismo para ser batizada. Assim, Sir Thomas, encontrando-a certa tarde enquanto ela estava perto da água observando os homens descarregarem um barco que havia acabado de chegar da Inglaterra, começou:

— Boa noite, Princesa, fico feliz com as notícias dadas a mim pelo Dr. Whitaker, de que ele a orientou totalmente nos ensinamentos de nossa abençoada fé, e que você demonstrou sabedoria e compreensão. Assim, chegou o momento de você receber a verdade diante dos homens, aceitar o santo sacramento do batismo das mãos dele e a jurar publicamente que não terá mais nada a ver com os deuses pagãos que seu povo adora de modo muito ignorante.

— Não abrirei mão deles – gritou Pocahontas com raiva, um comportamento muito diferente dos últimos dias. E para a surpresa de Sir Thomas, ela deu as costas para ele e correu, sem pensar duas vezes, para dentro da mata que ainda cobria uma parte da ilha.

Ali, ela se deitou no chão, ofegante, tomada pela emoção e repassando em sua mente o que tinha sido dito.

— Por que eu deveria abrir mãos do Okee de meus antepassados? Por que eu odiaria quem meus irmãos adoravam? Por que eu preferiria esse deus dos desconhecidos?

Ela não sabia que uma repentina saudade era a causa principal de sua reação. Queria se sentar no colo de seu pai, caçar com Nautauquas, e queria saber se eles tinham deixado de se importar com ela, pois a deixaram com os desconhecidos.

Ali, ao pôr do sol, o Dr. Whitaker a procurou, pois Sir Thomas havia pedido, e a encontrou e se sentou ao lado dela, conversando com ela delicadamente, sem julgar sua lealdade para com seu povo e com suas crenças, mas explicou que eles não puderam ver o que estava sendo ensinado a ela, e que ao reconhecer o deus dos cristãos, ela podia levar àquelas a quem amava a fazer a mesma coisa e a se beneficiar de Seus grandes dons.

O sacerdote não a convenceu em um dia, mas quando abril chegou, Pocahontas concordou em ser batizada. Vestida pela sra. Lettice com um vestido branco e simples, sem renda e babados, com os cabelos compridos e pretos descendo por suas costas, Pocahontas caminhou até a pequena igreja cheia de habitantes e índios da ilha, que não entendiam o que estava acontecendo. E enquanto os sinos tocavam baixinho na brisa suave da primavera, Pocahontas, a primeira de sua raça, foi batizada na fé cristã, com o novo nome de Rebecca.

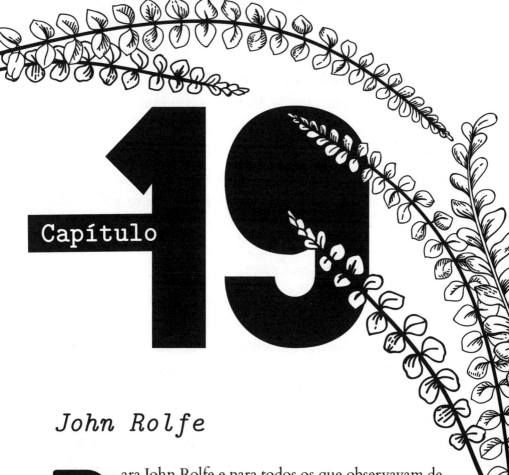

Capítulo 19

John Rolfe

Para John Rolfe e para todos os que observavam de perto a Senhorita Rebecca – como agora ela era chamada – parecia que a indiazinha havia conquistado uma nova dignidade desde seu batismo. E para John Rolfe em especial, ela se tornava mais adorável a cada dia. Ele passava muito tempo com ela, passeando pela ilha de Jamestown e até mesmo no continente. Na mata, ela ensinava a ele tanto quanto ele ensinava a ela na cidade: a observar os hábitos dos animais selvagens e a se localizar na floresta sem caminhos demarcados. Com frequência, eles partiam em um barco para pescar peixe ou para cavar buracos à procura de ostras, como os índios faziam.

Às vezes, Rolfe ficava muito feliz, e em outros momentos, perplexo e entristecido. Para ele, era uma alegria estar na companhia daquela que fazia com que ele sentisse como a vida era esplêndida e como a mata era bela e cheia de interesses, campos e rio. Mas quando ele pensava em casamento, lembrava-se das dificuldades pelo caminho. Primeiro, porque ela era, apesar de ser chamada de princesa, apenas a filha de um selvagem cruel e acostumada a modos selvagens. Por que ele, um cavalheiro inglês, decidiria escolher Pocahontas, e não uma mulher de sua raça educada da mesma maneira que seu povo?

Então, ainda que ele estivesse disposto, era pouco provável que Powhatan concordasse em deixar a filha se casar com um homem branco ou que o governador permitisse. Então, ele pensou; mas independentemente de quais fossem os obstáculos em seu caminho, ele voltava a se erguer em sua determinação para ganhar o amor de Pocahontas e casar-se com ela. Agora que ela tinha se tornado cristã, havia uma barreira a menos entre eles.

Rolfe acreditava que seus sentimentos por Pocahontas não tinham sido notados por todos, apenas pela sra. Lettice, que tinha se tornado muito próxima da índia, cuidando dela, estando sempre atenta a tudo o que envolvia Pocahontas. Além disso, ela já tinha ouvido o suficiente sobre as discussões que ocorriam no Conselho para saber que um casamento como aquele seria aprovado, desde que garantisse à Colônia a valiosa amizade de Powhatan. Mas ela também tinha conhecimento de um obstáculo que poderia impedir que isso ocorresse. Tal conhecimento, ela estava determinada a compartilhar.

Um dia, ela convidou certos membros do Conselho para irem à sua casa beber a bebida de um barril que seu irmão, em Londres, tinha mandado a ela no último navio. Ela também tinha feito bolo, e o gosto era tão bom depois de tanto tempo, que muitos de seus convidados suspiraram ao pensar em suas casas sem mulheres – e aqueles que tinham esposas na Inglaterra estavam determinados a mandar buscá-las sem demora.

— Mas o que tenho a dizer – ela continuou quando terminou de se servir e se sentou em uma cadeira de encosto alto para descansar — é que a Srta. Rebecca nunca se casará com nenhum outro enquanto alimentar a ideia do retorno do capitão Smith.

— O quê? Ele fez com que ela aprendesse a amá-lo? – perguntou aquele que teria ouvido qualquer lamento de Smith.

— Não, se você perguntasse isso, ela não saberia como responder. Ela pensa e fala nele constantemente e em seus pensamentos, ela está no meio do caminho entre um deus e um irmão mais velho, como ela se refere a ele. Todo o conhecimento que ela adquiriu foi aprendido porque ela acreditava que assim ele desejaria e ficaria feliz em saber que não é mais a criança ignorante da mata, como a via no começo. Ela queria até mesmo demorar seu batismo porque esperava que ele chegasse em todos os navios, e isso eu sei bem. Ela não vai se casar com ninguém enquanto não falar com o capitão Smith ou… – aqui ela fez uma pausa significativa — achar que ele está morto.

Ela parou de novo para que suas palavras fossem assimiladas. A sra. Lettice não queria o mal de Pocahontas. De fato, ela a amava muito e desejava, acima de tudo, vê-la feliz. E ela acreditava que Rolfe a faria feliz, como seu marido. Smith, se de fato não estivesse morto, provavelmente não voltaria a Jamestown, e assim, era melhor que ele estivesse morto, no que dizia respeito a Pocahontas, ela pensou. A digna dama tinha escolhido sua plateia, que era formada principalmente por homens que eram conhecidos como inimigos de Smith, que não deixariam de contar uma mentira se tivessem certeza de que isso ajudaria a manter a segurança em ataques aos índios, que estavam sendo tão desastrosos para a pequena comunidade deles.

— Estamos muito surpresos com essas palavras, sra. Lettice – disse um dos convidados, por fim — e de fato foi preciso que olhos de mulher vissem o que estava se passando embaixo de nossos narizes e de uma decisão de mulher para nos mostrar a importância do cortejo do sr. Rolfe para o bem-estar da Colônia. Se algo tão pequeno como o que você sugeriu é o que se põe entre nós e a confirmação desse casamento, isso é tão fácil de decidir quanto a decisão de beber dessa bebida enviada por seu irmão.

Ele colocou o copo vazio em cima da mesa e o grupo se levantou para sair, agora que a obrigação e a devoção tinham sido cumpridas. Eles não precisaram falar muito a respeito do que pretendiam fazer.

Enquanto se despediam da sra. Lettice, com muitos elogios aos dotes domésticos dela e ao zelo que dedicava ao estabelecimento, Pocahontas apareceu na porta. Ela havia, como a sra. Lettice bem sabia, saído com Rolfe, mostrando a ele como seu povo plantava tabaco, já que ele tinha se mostrado muito interessado na erva – sendo o primeiro na Colônia a cultivá-lo – e tinha expressado o que para seus vizinhos mais pareciam esperanças sem fundamento de um futuro rico a ser conquistado com a venda do tabaco na Inglaterra.

Pocahontas olhou ao redor com interesse, e enquanto os homens ajeitavam o chapéu, ela perguntou:

— O que aconteceu, senhores, para tantos de vocês terem chegado para nos visitar de uma vez? Parecem nossos conselhos, quando os velhos caciques debatem sobre os assuntos mais importantes.

· Ninguém estava interessado em ser o primeiro a responder, mas como era preciso dar alguma explicação, o conselheiro, que tinha comentado sobre a opinião da Sra. Lettice disse lenta e seriamente:

— Viemos, Princesa, para dar nossas condolências pela morte de seu amigo, o capitão John Smith.

— Morte?! – gritou Pocahontas. — Ele morreu?

E os homens, que não desejavam sobrecarregar sua consciência com uma mentira, assentiram silenciosamente. Pensaram que a moça sairia correndo e chorando, como já tinha acontecido mais de uma vez, quando ela ficava contrariada; mas ela ficou parada, com o rosto imóvel como o de uma estátua. Eles se afastaram murmurando palavras de solidariedade.

Nem mesmo quando eles se foram, os olhos curiosos e carinhosos da sra. Lettice notaram qualquer sinal de pesar.

— Eu estava enganada – disse ela naquela noite a seu marido —, ela não se importa com o Capitão. Chorou o dia todo no último Natal quando meu velho cachorro morreu.

Mas a sra. Lettice não ouviu a porta ser destrancada naquela noite, nem os pés de Pocahontas, calçando mocassins, percorrerem a rua até um ponto silencioso na barranca do rio ao qual ela sempre ia. O coração da moça estava tão cheio que sob um teto, ela o sentia bater forte. E até o amanhecer ela permaneceu na areia, com o rosto virado para o leste, em direção ao mar que ele tinha atravessado navegando, lamentando e chamando por seu *irmão* nos modos de seu povo, chamando Okee para guiá-lo a um local de caça, e rezando para que Deus direcionasse sua alma ao céu dos cristãos.

John Rolfe não notou nada de errado com Pocahontas quando ele a viu no dia seguinte, nem nenhum dos conspiradores contou a ele a respeito da falsa notícia que eles tinham dado à srta. Rebecca, nem no interesse que tinham no cortejo dele.

E o cortejo dele foi muito gentil e maravilhoso para Pocahontas. Nenhum índio apaixonado, ela sabia, conquistava sua índia dessa maneira. Ela escutou as palavras dele com surpresa quando ele disse a ela que queria que ela fosse sua esposa, que ela fizesse um lar para ele em sua nova terra. Quando ela deu sua palavra a ele, sentiu como se fosse a própria heroína de uma das histórias que ela ouvia com frequência a respeito da fogueira na cabana, sobre um veado que talvez tivesse que ser transformado magicamente em forma humana, ou uma ave a quem os espíritos tinham dado a fala – incrivelmente superiores os ingleses pareciam ser para ela.

Algumas semanas depois, Sir Thomas Dale, que estava impaciente para acertar suas diferenças com Powhatan, decidiu ir a Werowocomoco e levar Pocahontas consigo para que ela fosse a mediadora da paz. Com eles, no navio de Argall, foram John Rolfe e o sr. Sparkes, além de cento e cinquenta homens.

Quando eles tentaram parar em um vilarejo perto de Werowocomoco, os índios foram muito arrogantes e se opuseram a sua passagem. Em troca, os ingleses atiraram neles e quando os selvagens assustados correram para dentro da floresta para escapar das armas dos homens brancos, os vitoriosos queimaram todas as casas da cidade e espalharam o milho armazenado na despensa.

Pocahontas, que sentia muito pela animosidade entre aqueles que ela amava, disse a Sir Thomas:

— Permita que eu fique com meu povo. Eles confiarão em mim e eu me voltarei a meu pai, e quando ele voltar a me ver, não vai me negar nada. E faz muito tempo que não vejo o rosto dele – disse ela.

Mas Sir Thomas não deixou. Ele não se importava em perder sua importante refém; ainda que Pocahontas quisesse voltar, ele tinha certeza de que o velho cacique nunca permitiria que ela partisse.

— Peço, então – disse ela, com tristeza —, que envie mensageiros em meu nome, dizendo que eu abrirei mão de continuar lutando sem parar. Se os mensageiros levarem esta minha pena – neste momento, ela pegou uma pena branca de águia da faixa de sua cabeça —, pode ser que passem em segurança por onde quiserem. – Quando eles estavam partindo, ela disse: — E implorem a meu pai para que ele envie meus irmãos para me ver, já que não posso ir até eles.

Agora que estava tão perto de casa de novo, ela queria ver um membro de sua família que há muitas luas ela não via. Seu pai não a veria, ela tinha certeza, porque ele não desejaria lidar com os homens brancos pessoalmente. Ela esperou com ansiedade, os olhos e os ouvidos atentos ao som dos mensageiros voltando.

Cerca de uma hora depois, ela viu, ao longe, dois rapazes altos se aproximando, e ela saiu do barco e foi para a praia, gritando:

— Nautauquas! Catanaugh! – Seus dois irmãos correram na direção dela.

— É mesmo nossa pequena Matoaka? – perguntou Nautauquas. — E ainda por cima bem, sem ferimentos?

Ele olhou para ela com atenção, como se procurasse descobrir uma grande mudança nela.

— Temíamos não saber que feitiço maligno eles poderiam ter usado contra você, pequena Pena de Neve. Como eles trataram você no cativeiro?

— Não tema mais nada – disse Catanaugh, com o olhar fixo na canoa dos caras-pálidas. — Vamos resgatar você agora se tivermos que matar cada um deles para libertar você.

— Não, meus irmãos – disse Pocahontas, apoiando a mão com delicadeza no braço forte dele —, eles são meus amigos, e me trataram bem. Vejam! Por acaso estou passando fome ou ferida, torturada? Não os machuquem. Vim pedir a nosso pai que faça as pazes com eles. É como se as árvores tivessem que pedir para que os céus e a terra não brigassem, já que ambos são amados por elas. Os ingleses são uma grande nação. Vamos ser amigos deles.

— Eles enfeitiçaram você, Matoaka? – perguntou Catanaugh com seriedade. — Você se esqueceu da cabana de seu pai depois de ter vivido esse tempo com esses desconhecidos?

— Não, irmão, mas…

Nautauquas logo notou a confusão de Pocahontas e o rubor que tomou conta de seu rosto moreno.

— Eu acho – disse ele, sorrindo para ela —, que nossa irmãzinha tem uma história para nos contar. Vamos nos sentar aqui sob as árvores, como sempre fazíamos quando estávamos caçando, e vamos ouvir o que ela diz.

A princípio, não foi fácil para Pocahontas explicar como as coisas tinham acontecido. Mas enquanto ela permanecia sentada ali sobre as agulhas de pinheiros, aconchegada ao ombro de Nautauquas, ela encontrou coragem para falar sobre o inglês forte e bonito que muito tinha ensinado a ela, e como, um dia, ele havia pedido para que ela se tornasse sua mulher aos modos dos brancos. Ela também contou a eles que Sir Thomas Dale, o governador, havia dado seu consentimento.

— Vocês não acreditam – concluiu ela, olhando com atenção primeiro para um e depois para o outro irmão —, que nosso pai fará a paz por mim com a nação a qual meu guerreiro pertence?

Catanaugh não disse nada, mas Nautauquas tocou o braço da irmã e olhou dentro dos olhos dela, observando:

— Você está feliz?

— Sim, irmão, muito feliz. Ele é amado por mim porque eu o conheço e porque não o conheço. Com certeza você não se esqueceu de como Matoaka desejava ver o que não conhecia.

— Seu *manitou* te guiou? – perguntou Nautauquas de novo.

— O Deus dos cristãos é o meu deus agora – respondeu ela.

— Assim deve ser – disse Nautauquas, apesar de Catanaugh franzir o cenho —, uma mulher deve adorar os espíritos de seu guerreiro. Então, está tudo bem com você?

— Tudo ficará bem se meu pai fizer a paz. Poderei vê-lo. Ele ainda me ama? – perguntou ela.

— Ele disse – respondeu Nautauquas — que ama você como se fosse a vida dele e, apesar de ter muitos filhos, gosta mais de você.

Pocahontas suspirou, meio triste e meio feliz.

— Mande a ele minhas lembranças cheias de amor, irmão, e diga a ele que Matoaka pensa nele todos os dias, mesmo quando a maré sobe o rio vinda do mar.

— Ele concordou – disse Catanaugh — em estabelecer um acordo de paz até o *taquitock*, o outono, se os ingleses mandarem reféns importantes a ele, para que ele possa manter, assim como você está sendo mantida aqui.

— E Cleopatra, e nossas outras irmãs? E a velha Wansutis, como elas estão e... — E Pocahontas disse os nomes da maioria dos habitantes de Werowocomoco, perguntando sobre todos. Ela escutou todas as notícias que eles tinham para contar sobre os grandes feitos conquistados pelos jovens guerreiros e pelos sábios discursos feitos pelos velhos caciques no conselho, das danças da colheita, das perdas no caminho de guerra, e da velha Wansutis, que tinha se tornado mais retraída e mais calada desde a morte de Garra de Águia. Então, Pocahontas contou a eles sobre o que ele tinha feito; e os olhos de Catanaugh brilharam quando ele soube que seu amigo tinha assassinado três caras-pálidas.

Eles não viram a hora passar enquanto estavam ali conversando, mas viram Sir Thomas descer do navio, acompanhado por Rolfe e sr. Sparkes.

— Estes dois, Princesa – disse ele —, serão os reféns que enviaremos a seu pai; e seus irmãos permanecerão conosco.

Os dois índios olharam para os homens brancos com atenção. Pelo olhar que a irmã lançou a Rolfe, eles notaram que ele devia ser seu marido prometido. E Rolfe olhou com a mesma curiosidade para seus futuros cunhados. Eles eram altos como o pai deles, fortes e de boa estrutura óssea, homens como aqueles para quem outros homens gostavam de olhar, independentemente de qual fosse sua cor. Mas Nautauquas, em especial, os agradava mais. Ele relembrou que John Smith tinha dito que ele era a alma mais forte e corajosa que já tinha visto na floresta.

Depois de conversarem por um tempo, Rolfe e Sparkes, acompanhados por alguns índios que Nautauquas havia designado para acompanhá-los, partiram em direção a Werowocomoco. Eles não temiam nada de ruim, mas não queriam passar tempo longe da colônia. Quando eles chegaram, Powhatan, que ainda estava irritado com o inglês, recusou-se a olhar para eles, então Opechanchanough os distraiu e prometeu interceder com seu irmão por eles. O mensageiro de Nautauquas havia levado a eles a notícia da ligação de Rolfe com a sobrinha dele.

Nesse meio-tempo, o acordo de paz foi estendido até o outono e os ingleses foram enviados de volta a Jamestown. Nautauquas e Catanaugh tinham aproveitado o tempo passado na ilha entre os caras-pálidas, e Catanaugh tinha interesse apenas no forte, em suas armas e no navio, e Nautauquas, não apenas nessas coisas, mas em conversar da melhor maneira possível com os colonos. Ele e Pocahontas mais uma vez partiram para caçar juntos no continente, pois o governador permitia que eles fossem e viessem como bem entendessem, com a certeza de que Nautauquas manteria a palavra e não deixaria Jamestown enquanto Powhatan não mandasse Rolfe e Sparkes de volta.

E no dia em que eles voltaram, os dois guerreiros partiram para se unirem a seu pai em Orapaks.

Capítulo 20

O casamento

Todo mundo em Jamestown estava agitado naquela manhã de abril de 1614. Os soldados e algumas crianças do acampamento, impressionados com a importância de sua tarefa, tinham ido para a mata cortar ramos grandes de azaleia e magnólia para decorar a igreja.

Sir Thomas Dale tinha se aprumado, bem como todos os cavaleiros da cidade, com belos coletes de tecido, punhos e golas de renda, e ficaram satisfeitos, de modo geral, com sua aparência. As poucas mulheres da Colônia – a sra. Easton, a sra. Horton, Elizabeth Parsons e outras – tinham, é claro, preparado suas roupas muitos dias antes. Não era sempre que elas tinham uma desculpa para se arrumarem com as roupas que guardaram com muito cuidado e dificuldades na Inglaterra; e aquela era uma ocasião diferente de todas as outras no mundo. Ali estava um cavalheiro inglês de linhagem antiga que se casaria com a filha de um grande líder pagão, que tinha o poder de ajudar ou prejudicar o progresso daquela primeira colônia inglesa permanente no Novo Mundo. Além de se sentirem felizes, tanto quanto eram capazes de sentir-se, eles tinham preparado um desjejum de casamento a ser servido aos convidados na casa do governador, e este havia oferecido carne e outros alimentos, além de cerveja, para serem distribuídos aos soldados, trabalhadores e índios, seus convidados.

O guarda no forte se manteve ocupado permitindo a entrada de índios e pedindo para que deixassem os arcos, machadinhas ou facas de lado, ainda que ninguém naquele dia parecesse estar agindo de modo hostil, já que o consentimento de Powhatan com o casamento de sua filha tinha posto fim à inimizade entre eles.

Ele próprio não tinha ido à cerimônia. Não queria pisar em nenhuma outra terra que não fosse a sua, mas tinha enviado como representante o tio de Pocahontas, Opechisco, e muitas mensagens de carinho a sua "filha mais querida". O velho cacique usava todas as roupas cerimoniais de sua tribo: um cocar de penas, calça e cinta, e um manto comprido de pele de veado muito bordado com contas de conchas. Com ele, chegaram Nautauquas e Catanaugh. Os dois caminhavam como queriam pela cidade, e Nautauquas, ao ver Rolfe chegar em seu barco, vindo de Varina, onde tinha construído uma casa para Pocahontas, deu um passo à frente para cumprimentá-lo. Seu amor por Pocahontas fazia com que ele quisesse conhecer melhor seu futuro cunhado. Apesar de o homem pertencer a um mundo diferente do dele, apesar de suas ideias e atitudes serem diferentes, ele era um homem; assim, o guerreiro índio tentou analisá-lo com os mesmos métodos que usava para julgar os homens de sua raça – e ficou satisfeito. Rolfe, ao reconhecê-lo, apertou sua mão com simpatia e conversou com ele por um tempo, perguntando a respeito das pessoas de sua família que ele tinha conhecido em seu período como refém em Werowocomoco.

Quando Rolfe partiu para entrar na casa do governador, Nautauquas se virou para ver o que Catanaugh estava fazendo, mas não conseguiu vê-lo.

Catanaugh não tinha sentido o mesmo interesse em Rolfe como seu irmão sentira, e tinha se afastado, caminhando em direção à casa de Pocahontas. Ele tinha uma pergunta para fazer a ela enquanto Nautauquas não estivesse por perto. Ele encontrou a irmã com o vestido branco, com mocassins bordados nos pés e um enfeite de contas e penas na cabeça.

— Você não se adorna com as correntes brilhantes dos homens brancos? – perguntou ele.

— Não, irmão – respondeu ela —, pode ser que eu use os panos estranhos um dia, assim como as correntes e joias que receberei amanhã quando for a mulher de um homem inglês; mas hoje, eu ainda sou apenas a filha de Powhatan.

Catanaugh não disse mais nada, mas permaneceu na entrada.

— Entre – disse Pocahontas —, e veja como eu vivo.

— Já vi o suficiente – respondeu ele, virando a cabeça de um lado a outro —, mas onde vive o Okee do homem branco?

— O Deus dos Cristãos? – perguntou ela, confusa com a pergunta. — Ele mora no céu.

— Mas onde os xamãs chamam por ele?

— Na igreja, aquela construção com uma ponta.

— Vou caminhar mais um pouco – disse Catanaugh, deixando-a. Quando pensou que Pocahontas não mais o observava, seguiu na direção da igreja. Durante sua curta estada em Jamestown, ele nunca tinha entrado ali e pensou – sem prestar muita atenção –, se tratar de um tipo de despensa.

Encontrou a porta aberta e entrou sem fazer barulho, olhando com cuidado ao redor até ter certeza de que estava vazia. Então, empurrou a porta e a fechou com uma tranca. Em seguida, começou a examinar o local com curiosidade. No fim, em direção ao sol que nascia, havia uma elevação de três degraus que fez com que ele pensasse no altar elevado que havia na ponta da cabana cerimonial de Powhatan. Era coberta com madeira vermelha de cedro, e havia uma mesa de madeira escura coberta com um pano branco, e o sol que entrava pelas janelas fazia com que os vasos cheios de flores brilhassem muito. Na parte onde ele estava, havia muitos bancos e cadeiras, e em todos os pontos onde era possível ficar, havia uma profusão de galhos com flores fragrantes.

A simplicidade da igreja o surpreendeu; havia muitos móveis, muitos objetos estranhos que ele não sabia para que serviam, mas que faziam com que ele temesse e observasse com atenção. Sua vontade era fugir para fora, e se virou em direção à porta. Então, lembrou-se do motivo pelo qual tinha entrado e parou de novo.

Prestou atenção ao redor, mas não escutou nada. Então, enfiou a mão no saco que mantinha pendurado ao lado do corpo, contendo um monte de banha de cervo que espalhou nas laterais dos bancos e nas costas das cadeiras. Então, com um punhado de tabaco retirado do mesmo recipiente, ele começou a formar um pequeno círculo no corredor do meio. Quando terminou, sentou-se de pernas cruzadas dentro dele. Lenta e deliberadamente, ele pegou algo de dentro de um saco maior pendurado nas costas, coberto por seu manto comprido. Era uma máscara, meio torta por ter sido mantida dentro de um espaço pequeno, e um chocalho feito com uma cabaça cheia de pedrinhas. Ele prendeu a máscara ao rosto cuidadosamente, como se estivesse prestes a ser observado por toda sua tribo, e colocou o chocalho em cima das pernas. Todos esses preparativos tinham ocorrido tão discretamente que ninguém que pudesse estar na igreja teria descoberto a presença do índio somente com a ajuda da audição.

Catanaugh não tinha ido a Jamestown apenas pensando em assistir ao casamento da irmã. Não era agora só por vontade própria que ele estava prestes a realizar um experimento perigoso. Não era, nem de longe, um covarde; sua fileira comprida de escalpos eram prova de sua capacidade como guerreiro; mas, diferentemente de Nautauquas, ele era uma pessoa que seguia a liderança de outros, que obedecia quando outros mandavam. Era valente, não se entregava a um inimigo, não podia nem sequer sonhar, como faziam seu pai e seu irmão, que os homens brancos pudessem se tornar aliados e amigos valiosos. Teria matado todos eles de bom grado, e se tornava cada vez mais indisposto a concordar que Pocahontas se unisse a um dos intrusos, como se referia e eles, pois percebeu que o casamento dela criaria um elo de paz entre os dois povos.

Ele esperava descobrir que Pocahontas estava sendo forçada a aceitar aquele casamento, e nesse caso, estava preparado para levá-la embora numa atitude desesperada de última hora; mas não conseguia deixar de ver que ela estava feliz e livre por escolha própria, e nunca o acompanharia voluntariamente nem o seguiria em silêncio se ele tentasse forçá-la.

Catanaugh era membro da sociedade secreta de Mediwiwin e acreditava muito em curandeiros e xamãs. Nem sequer realizava uma expedição de caça sem que um xamã consultasse seu Okee para decidir se o dia escolhido seria de sorte. Em toda cerimônia religiosa, ele participava ativamente, a ponto de jejuar se os xamãs dissessem que isso agradava ao Okee, a ponto de matar inimigos ou submetê-los à escravidão, o que quer que os xamãs sugerissem. Ele era de falar pouco, exceto quando, depois de uma vitória, fazia muito barulho e se vangloriava. Mas gostava mais de ouvir os xamãs contando histórias antigas, sentados ao redor de uma fogueira nas noites de inverno, ou deitados nas noites de verão na grama macia e seca, falando de seres humanos que se transformavam em lontra, urso ou cervo, sobre a perseguição de demônios do mal, de feitiços mágicos. E os xamãs, sempre recebendo a atenção de Catanaugh, o recebiam, e de muitas maneiras sem que ele soubesse, o usavam como ferramenta.

Naquele momento, era seguindo as ordens deles que ele estava ali, movendo apenas os lábios, que recitavam no tom regular e alto como o de um sapo as palavras de um feitiço que ele tinha aprendido. E durante todo o tempo, ele, que nunca tinha tremido diante de um inimigo, tremia de medo do desconhecido. Claro, era inteligente da parte dos xamãs fazer aquele julgamento, mas desejava que um deles se colocasse em seu lugar. Eles sabiam que nunca teriam tido a chance de sair sem serem notados, como tinha feito na cabana do Okee do homem branco.

Ele se perguntou como aquele Okee desconhecido responderia a seu chamado, pois sabia que precisava responder. O feitiço foi tão forte que nenhum espírito poderia resistir a ele, principalmente quando ele empunhava o chocalho como agora fazia, pondo-se de pé e erguendo o pé cada vez mais, como se estivesse se inclinando, dando voltas nas pontas dos pés, sempre dentro do círculo de tabaco. O xamã estava determinado a descobrir que tipo de Okee protegia os homens brancos, e era só naquele ponto onde era possível que eles fizessem isso. Os caras-pálidas sabiam de muitas coisas que o índio não tinha aprendido e que ele deveria aprender se quisesse se manter contra o terrível feitiço dos desconhecidos.

Catanaugh temia esquecer algumas das palavras mágicas que o Okee falaria. Os xamãs tinham dito a ele que era preciso mantê-las em sua mente como se tentasse manter uma enguia escorregadia na mão. Ainda que não as compreendesse, deveria se lembrar delas, porque eles eram sábios o bastante para interpretá-las. Ele também pretendia, se tivesse coragem, tentar fazer com que o Okee impedisse o casamento.

Ele estava balançando o chocalho devagar com medo de ser ouvido do lado de fora da igreja; mas agora, ansioso para terminar a temida tarefa, ele começou a balançá-lo com toda a força em um último desafio ao espírito desconhecido.

PRINCESA POCAHONTAS | 249

Bim! Bam! Boum! BOUM! Bim!

Catanaugh saltou como um cervo que escuta o quebrar de um galho atrás de si. Ali, na voz grossa e grave dos sinos do casamento soando no campanário acima dele, ele pensou ter ouvido a resposta que seu feitiço tinha forçado para vir do Okee do homem branco. Mas a voz era tão terrível e tão alta que, esquecendo tudo, exceto sua necessidade de escapar, ele correu até a porta, abriu-a desesperadamente e fugiu, ainda perseguida pelo "*bim, bam, boum*", até chegar ao forte, onde os sentinelas assustados, que não tinham ordens para impedir que o índio *deixasse* a cidade, deixaram o mascarado passar pelos portões.

Dr. James Buck que, com o Dr. Whitaker, realizaria a cerimônia, chegou à igreja quando a festa de casamento estava começando no outro lado da cidade. Seu pé bateu na terra. Ele parou e pegou um chocalho e seus dedos estavam cobertos com pó marrom. Pegando uma vassoura depressa, que estava dentro da sala de limpeza, varreu o tabaco pelo corredor e o deixou acumulado no canto. O curioso chocalho ele escondeu com a vassoura, para ser investigado depois. Então, ficou dentro da capela, onde o sr. Whitaker logo se uniria a ele. Pela porta aberta, os dois clérigos observaram as pessoas se aproximarem. A maioria era formada por homens, cavalheiros muito bem-vestidos, apesar das roupas um pouco desbotadas, como se fossem adentrar a Abadia de Westminster; soldados com coletes de couro; padeiros, pedreiros e carpinteiros, com rosto e mãos recém-lavados e vestindo suas roupas de domingo; e as poucas mulheres usavam tafetá e damascos.

Depois de a congregação tomar todos os assentos e se acomodar contra as paredes, vários índios, todos parentes de Pocahontas, entraram e permaneceram em silêncio com semblantes que pareciam mortos, exceto pelo brilho dos olhos curiosos. Em seguida, Pocahontas entrou pela porta com Opechisco e Nautauquas.

Uma sensação repentina de surpresa com esse casamento tomou conta de Alexander Whitaker. Aquela moça índia, uma criatura das matas, tímida e orgulhosa como um animal selvagem, se casaria com um inglês com séculos de civilização em sua história. O que aconteceria com eles e com suas raças?

Então, com amor pela moça a quem ele tinha batizado e com fé no coração, ele escutou enquanto o Dr. Buck começava, até ele próprio perguntar com a voz alta e clara:

— Rebecca, você aceita este homem como seu marido?

E quando o banquete terminou, a noiva disse ao marido, usando o nome de batismo dele, com timidez, pela primeira vez:

— John, pode ir um pouco comigo até a floresta?

E Rolfe, feliz por escapar do barulho entre as pessoas, se levantou para acompanhá-la.

— Por que você se deu ao trabalho de vir aqui? – perguntou ele quando eles se viram na mata tomada pelo branco de inúmeros cornisos.

— Porque sinto que Jamestown é pequena demais hoje, John, sempre venho à floresta quando estou feliz ou triste.E porque parece que as árvores e os animais se magoariam se eu não permitisse que eles me vissem neste grande dia.

— Isso é um pouco interessante, mas uma atitude pagã, minha moça – disse Rolfe, franzindo o cenho levemente.

252 | VIRGINIA WATSON

Mas Pocahontas não notou. Ela tinha visto, atrás de galhos frondosos, o corpo pintado de um cervo, e viu uma tâmia listrada espiá-la do alto de uma árvore.

— Oi! Amiguinhos! – disse ela com alegria. — Pocahontas veio cumprimentar vocês. Desejem felicidade a ela, que seu ninho sempre fique cheio de castanhas. Que ela dance, tenha sombra e olhos brilhosos em dias quentes. – Então, dois pombos voaram perto dela enquanto Pocahontas aplaudia com delicadeza e dizia:

— Aqui está meu amigo, Asas Ligeiras, para nos desejar felicidade.

E John Rolfe, por ser um inglês sério, sentiu crescer dentro dele uma nova afinidade com todos os seres vivos do mundo, e se perguntou se aquela índia que havia se tornado sua esposa não sabia mais dos segredos da terra do que os sábios da Europa.

Capítulo 21

No rastro de um ladrão

Pocahontas, usando roupas europeias, estava voltando para sua casa em Varina, depois de sair do rio onde tinha estado com John Rolfe durante meio dia de viagem para chegarem a Jamestown. Os barqueiros a haviam acompanhado desde o esquife e agora tiravam o chapéu enquanto ela acenava para dispensá-los.

Nos dois anos que tinham se passado desde seu casamento, a moça índia havia aprendido muitas coisas: a falar fluentemente o idioma do povo de seu marido, a usar, em público, as roupas usadas pelas mulheres europeias, a agir de acordo com os modos das pessoas de classe alta. Ela já estava acostumada com o respeito reservado a ela por ser filha do grande cacique, líder de mais de trinta tribos, e agora recebia o mesmo tratamento dos ingleses, que a tratavam como a filha de um poderoso aliado. Afinal, Powhatan tinha se dado conta da importância de manter a paz entre Werowocomoco, Jamestown e seu estabelecimento no rio de Henrici, do qual a propriedade de Rolfe, Varina, fazia parte.

De fato, os modos da srta. Rebecca eram tão finos que era com dificuldade que muitos se lembravam da moça de olhos arregalados que andava de um lado a outro em Jamestown.

Agora, subindo o monte, seus olhos pararam na casa que Rolfe tinha construído para ela. Ficava à vista dos ingleses, acostumados com as espaçosas casas de seu país, um pouco maiores do que um casebre. Mas para alguém que nunca tinha visto nada mais requintado do que as construções dos vilarejos de seu pai, era uma estrutura grandiosa, com a base sólida de carvalho, quatro quartos, chaminé de tijolos e decoração enviada de Londres. Seu marido prometera que eles levariam muitos itens de decoração quando voltassem da Inglaterra.

Ela estava sentindo um pouco de calor depois da subida e estava ansiosa pelo momento em que poderia se despir e usar o roupão de camurça e os mocassins. Rolfe, apesar de não proibi-los, não gostava de vê-los; e Pocahontas, naquele dia, estava ciente de uma leve sensação de alívio por saber que ele passaria vários dias fora e, nesses dias, ela poderia se esquecer de que era uma inglesa.

Poderia se esquecer disso, mas só por pouco tempo, pois era uma esposa feliz e atarefada; mas não podia se esquecer de que era mãe, que seu pequeno e lindo Thomas, não tão branco

PRINCESA POCAHONTAS | 255

como o pai nem tão negro quanto ela, estava à sua espera na casa. Ela se apressou, pensando no quanto se divertiria com ele; que o levaria até o riacho e permitiria que ele ficasse nu nas rochas aquecidas, e que cantaria músicas indígenas para ele, contaria histórias de feras nas matas, ainda que ele fosse pequeno demais para entendê-las.

Ela o havia deixado no berço onde, protegido pelas laterais altas, ficava seguro por muitas horas, e os operários que estavam ajudando seu marido a dar início ao cultivo do tabaco espiavam, com frequência, para ver se ele estava bem.

Ela entrou na casa e, correndo em direção ao berço, disse:

— Coelhinho, estou aqui.

Mas quando se inclinou pela lateral, ela viu que o berço estava vazio.

Ela olhou dentro de todos os cômodos, mas não o encontrou. Então, correu em direção à porta e gritou. Três dos homens foram correndo, e contaram a ela, um falando em cima do outro que, meia hora depois de ela e o senhor deles terem partido, um deles tinha ido olhar a criança e encontrou o berço vazio. Desde então, eles estavam procurando sem parar, mas sem sucesso.

Era impossível que a criança tivesse saído sozinha; mas quem o levaria embora? Índios ou pessoas brancas, não havia ninguém em toda a Virgínia que ousaria ferir o neto de Powhatan.

Depois de ouvir o que eles tinham a dizer, Pocahontas os dispensou para que continuassem procurando. Quando ficou sozinha, sentou-se, não na cadeira entalhada que um carpinteiro havia feito para ela em Jamestown, mas no chão, pois costumava se sentar perto do fogo quando desejava pensar muito.

Depois de um longo período de silêncio e inércia absolutos, ela se levantou, tirou o chapéu, vestido e sapatos e vestiu-se com os trajes indígenas. Ajoelhou-se ao lado do berço e examinou o chão com cuidado, depois o batente da porta e o chão à frente dele. Devia ter encontrado algo, pois farejou o ar como um sabujo que tinha captado um odor. Pensou por um momento no que fazer – deveria virar-se na direção de Powhata, onde sabia que Powhatan estava, ou deveria ir na direção de Werowocomoco? Virou-se na direção de Werowocomoco, parando de poucos em poucos minutos para analisar o chão, e avançava depressa.

Foram as leves marcas, aqui e ali, na terra, marcas de pegadas de mocassim, que se tornaram suas pistas. Seus irmãos e irmãs apareciam para visitá-la de vez em quando; mas com que propósito eles poderiam roubar seu filho? Nenhum índio hostil, graças ao medo em relação ao poder de Powhatan e às armas inglesas, era visto naquela parte do território. Por isso, enquanto ela avançava, tentava imaginar de onde aquele índio sequestrador tinha vindo. Ela tinha certeza de que era um índio, e também de que ele estava com a criança, pois sobre uma rocha no caminho, ela tinha encontrado um pedaço da corrente de cascas de castanha que ela tinha feito para colocar no pescoço do pequeno Thomas.

Agora que estava no caminho certo, nem sequer pensou em voltar para chamar os homens que trabalhavam para seu marido nem mandar um mensageiro a Jamestown para chamá-lo. Ela sabia bem que era muito mais capaz do que qualquer homem branco para seguir de modo rápido e certeiro o caminho pelo qual tinham levado seu filho. Talvez, como o ladrão tinha horas de vantagem, ela demorasse dias para encontrá-lo; mas ainda que demorasse anos e tivesse que ir até o fim do mundo, não hesitaria nem voltaria para pedir ajuda.

Enquanto ela percorria a floresta com o passo rápido que era quase um trote, o verniz de sua vida inglesa saiu dela enquanto as folhas caíam do alto das árvores. Ela se esqueceu dos acontecimentos dos dois anos anteriores, desde que havia se tornado a "srta. Rebecca", e também se esqueceu de seu marido. Seu bebê não era mais o herdeiro dos Rolfe prestes a ser levado mar adentro para ser mostrado aos ingleses; ele era seu *papoose*, e enquanto corria, ela gritava por ele, usando todos os apelidos carinhosos que as mães índias gostavam de usar. Quando ela pensou que ele poderia estar chorando de medo ou fome, começou a orar; orações que vinham do fundo de seu coração torcendo para conseguir chegar a ele antes que ele de fato sofresse. Mas tais orações não eram para o Deus dos cristãos, mas para o Okee que seus antepassados adoravam.

Muitas vezes, o caminho se tornou quase invisível. Poucos pés tinham passado por ali e não havia nenhum caminho aberto. Mas os olhos de Pocahontas, mais atentos até do que na época em que competiam com os olhos do irmão dela nas brincadeiras de esconde-esconde, não falharam. O solo, os arbustos dos quais as gotas de chuva pingavam, um galho quebrado – tudo a ajudou a seguir pelo caminho certo. Ela queria saber aonde aquela trilha daria!

Não sabia o que faria quando ficasse cara a cara com o ladrão. Se ele fosse um homem forte que desafiasse a ordem dela para devolver o neto de Powhatan, como ela o impediria? Ela havia partido tão depressa que nem sequer pegara uma arma. Mas não duvidava de que, de um jeito ou de outro, tiraria seu filho dele.

O sol estava se pondo. Ela viu que seus raios acertavam agora a parte inferior dos troncos das árvores. Ao ver isso, ela apressou os passos. Quando anoitecesse, ela teria que se deitar e esperar a manhã chegar, com medo de perder o caminho.

Estava quase escuro quando ela chegou a um espaço aberto com largura suficiente para três cabanas, onde a aproximação de muitas feras para beber de uma fonte que borbulhava no centro havia desgastado o crescimento do mato. Em um dos lados do chão havia musgo e vegetação rasteira, pedras reviradas que formavam uma pequena caverna não muito maior do que o corpo de um homem.

Ela não conseguia mais ver pegadas no escuro. Por isso, Pocahontas, com tristeza, se preparou para passar a noite naquele abrigo. Ela se inclinou, bebeu muita água da fonte e molhou os pés cansados dentro dela. Então, por querer uma fogueira mais pela companhia do que pelo calor, ela reuniu gravetos e, friccionando madeira apodrecida, logo produziu uma faísca que criou uma chama intensa.

Ela não ganharia nada ficando acordada. Não havia ninguém ali a quem ela tivesse algo a temer, exceto, talvez, o ladrão. E quanto antes ela o encontrasse, mais feliz ela ficaria. Ela estava sonolenta devido ao calor do fogo, e cansada depois de percorrer toda aquela distância, por isso se deitou na entrada da caverna, meio dentro e meio fora, e em poucos instantes, adormeceu.

Várias vezes ao longo da noite, ela teve o sono perturbado pelo som de algum filhote chorando – talvez um filhote de urso, pensou sonolenta, mas mesmo que uma mãe ursa estivesse por perto, ela não sentia medo.

Depois, ela sonhou que a mãe ursa tinha entrado na caverna e a cheirava sem parar. Abriu os olhos e viu o brilho das chamas refletido em um par de olhos à sua frente.

— Vá embora, Peludo Velho – disse ela, com sono. — Não tenho medo de você. Vá embora e me deixe dormir.

Mas o som de sua própria voz fez com que ela despertasse e se sentasse para ver se os ursos a estavam obedecendo. Contra o fogo quase extinto, ela viu os fracos contornos – não da fera que esperava ver, mas de um ser humano! Ela se levantou, segurou a pessoa com a mão direita antes que ela tivesse a oportunidade de fugir, e com a mão esquerda pegou alguns galhos secos e os jogou na fogueira que se apagava. A madeira já aquecida fez o fogo aumentar, a labareda iluminou toda a caverna e Pocahontas observou. Wansutis!

— Onde está meu filho? – gritou Pocahontas. — O que você fez com ele? Então foi você, justamente você dentre todas as pessoas do mundo, que ousou roubá-lo de mim. O que você fez com meu filho? Diga!

A idosa não relutou enquanto a moça a segurava com firmeza nas mãos jovens e fortes. Ela permaneceu parada como se estivesse sozinha, olhando para as chamas que avermelhavam o círculo de árvores, como se estivessem manchadas com sangue.

— O que você fez com o meu filho? – perguntou Pocahontas de novo, aos gritos.

— O que você fez com o *meu* filho? – perguntou a idosa, sem virar a cabeça para olhar para Pocahontas.

— Seu filho! Garra de Águia? Que pergunta! Eu mandei a notícia muitas luas atrás, Wansutis, de que ele morreu.

— Se você o tivesse amado, ele não teria morrido.

— Eu o amava com o amor de irmã, Wansutis, seu destino não está em minhas mãos. Mas Garra de Águia está morto, e nós sentimos por isso, eu e você. – Nesse momento, ela aliviou a pressão no ombro da senhora. — Mas meu filho está vivo, a menos...

E a assustadora possibilidade fez com que ela tremesse como uma vara verde.

— O que você fez com meu filho, Wansutis? O que você quer com ele?

Wansutis, que agora estava agachada olhando para o centro do fogo, começou a entoar, como se estivesse sozinha:

— O filho de Wansutis morreu em batalha. Não havia guerreiro mais forte e mais corajoso nas trinta tribos, e a cabana de Wansutis era vazia, sem ninguém para caçar para ela, para matar um cervo para que ela pudesse se alimentar da carne fresca. Então, Wansutis viu um prisioneiro de corpo forte, ainda que fosse pequeno, e Wansutis ganhou um filho novo, cujo rosto era iluminado pela luz do fogo, cuja presença em sua cabana fez o medo de Wansutis se acalmar. E esse filho queria que uma moça fosse sua mulher, e partiu para tocar música para ela. Mas a moça não quis ouvir, e o rio e a moça mataram o filho corajoso de Wansutis, e mais uma vez, a cabana dela ficou vazia.

Ela parou por um instante, e então, como se estivesse lendo as palavras nas chamas, começou a cantar mais lentamente:

— Estou velha, a velha Wansutis, mas viverei ainda por muitas colheitas. Vou procurar outro filho e vou levá-lo à minha cabana. Ele vai cuidar de mim e me proteger e me alegrar nos invernos.

Pocahontas a interrompeu.

— Então foi por isso que você roubou meu filho. Você não poderá ficar com ele, ele não deve ficar em sua cabana. Ele vai com seu pai e comigo para ser criado nas casa dos ingleses.

Ouviu-se um grito vindo da floresta, o mesmo grito que ela tinha ouvido em seus sonhos. Sem hesitar, Pocahontas partiu na escuridão e, em poucos instantes, voltou com o bebê nos braços. Ela se agachou perto do fogo, e o tocou por todo o corpo até ter certeza de que ele não estava ferido.

Wansutis se levantou.

— Adeus, Princesa – disse ela. — Wansutis agora vai voltar para a cabana dela.

Agora que estava com seu filho em segurança de novo, o coração gentil de Pocahontas começou a falar:

— Wansutis, você sabe que não posso deixar que você leve meu filho, mas se você quiser, pedirei a meu pai que dê a você o próximo jovem guerreiro que ele capturar para que você não mais se sinta solitária.

— Não vou mais procurar filhos – respondeu a senhora —, porque pode acontecer de ele partir para uma terra distante e me deixar, como a filha de seu pai o deixou.

— Mas vou voltar para ele – protestou Pocahontas.

— Você sabe disso? – perguntou a senhora, inclinando-se e olhando bem no rosto de Pocahontas. Seu olhar estava tão cheio de ódio que Pocahontas se afastou, aterrorizada.

— Vejo um navio – Wansutis começou a entoar de novo —, um navio que navega por muitos dias em direção ao sol nascente. Mas eu nunca vi um navio navegando para onde nasce o sol. Vejo um cervo das florestas e ele está amarrado. Em seu pescoço, estão penduradas contas e flores, mas o cervo procura, em vão, escapar floresta adentro. Vejo um pássaro que está preso onde as cabanas se aproximam mais do que as pedras na costa, mas eu nunca vejo a ave voar livre acima dos telhados das cabanas. Escuto o choro de uma criança órfã, mas a mãe está onde não pode aquietá-la.

Pocahontas observou, fascinada e horrorizada, a senhora que, com mais uma risada, desapareceu na escuridão.

Capítulo 22

Pocahontas na Inglaterra

Foi uma Pocahontas animada e feliz que partiu navegando com seu marido, seu filho e, por fim – não que ele se considerasse menos importante –, Sir Thomas Dale. Com eles, também foi Uttamatomakkin, um cacique que Powhatan havia enviado para observar os ingleses e suas maneiras de agir na nova terra.

Tudo deixava Pocahontas interessada durante a viagem: o próprio navio, as velas sendo estendidas e recolhidas nas tempestades e calmarias, as músicas que os marinheiros cantavam enquanto trabalhavam, a vista de baleias e, quando eles se aproximaram da costa inglesa, a beleza de um grande navio de guerra. Um *veterano*, como declarou o capitão, da frota que avançava com tanta coragem para encontrar a Armada Espanhola. Durante as noites, no deque, Rolfe contava as histórias de feitos reais da história inglesa e lia romances de poetas; e para ela, tudo era igualmente maravilhoso.

Ela mal conseguia acreditar, depois de eles terem navegado por tantas semanas no oceano sem alterações, onde não havia nenhum sinal a seguir naquela floresta sem pistas, que estava vendo terra de novo além de toda aquela água. Era maravilhoso, inexplicável, que os homens pudessem guiar navios de um lado a outro naquela imensidão. Talvez isso, mais do que qualquer uma das maravilhas que ela veria mais tarde fosse o que fizesse com que ela admirasse ainda mais a genialidade do homem branco.

Então, um dia, uma nuvem cinza pairou no horizonte do leste. Pocahontas viu uma nova expressão no rosto do marido quando ele notou a nuvem.

— Inglaterra! – gritou ele, e então ergueu o pequeno Thomas em seus ombros e indicou: — Veja a Inglaterra de seu pai.

Mesmo antes de eles pisarem em Plymouth, as impressões de Pocahontas em relação à terra começaram. No navio, embarcaram oficiais da Companhia da Virgínia para cumprimentá-la e para dizer que estavam à disposição da Companhia. Afinal, ela era a filha de um aliado indígena, um monarca cujo poder e reino eles não compreendiam. Eles disseram que tinham organizado acomodações adequadas para a srta. Rebecca, para o sr. Rolfe e para seu bebê em Londres, e – acenando com chapéus na mão, fazendo reverência – que cuidariam de tudo para proporcionar conforto e diversão.

Aqueles homens eram diferentes de todos os outros que Pocahontas já tinha visto; os colonos eram todos trabalhadores ou, pelo menos, aventureiros. Tais cidadãos eram um tipo novo para ela, assim como ela era nova para eles.

Enquanto eles avançavam a caminho de Londres, a cada quilômetro da estrada, ela exclamava seu interesse e fazia perguntas para Rolfe, falando sobre as cabanas de madeira e gesso, sobre as belas cercas-vivas, os campos vastos e os pastos tomados por cavalos e gado. Ao meio-dia e à noite, eles paravam em hospedarias, e ela se dispunha a examinar tudo, desde a sala de entrada até o sótão fragrante, onde havia muitas plantas penduradas em suportes. Mas com sua disposição de menina, ela agia com uma postura que não deixava dúvidas de que, apesar de ser uma moça "criada no mato", sabia se impor.

— Ah! John – disse ela —, que terra linda. Não sei como você pôde deixá-la. Mal posso esperar para ver o dia amanhecido depois da noite de sono. Isso é algo novo e coisas novas, como você sabe, são maravilhosas para meu espírito.

— E também para o meu, Rebecca – respondeu ele —, por esse motivo, eu escolhi Wingandacoa e gosto das coisas diferentes de lá, assim como você se diverte com as coisas diferentes de meu país.

Quanto mais eles se aproximavam de Londres, mais havia para ser visto. A estrada era repleta de pessoas indo e voltando da cidade: mercadores, agricultores com suas cargas, açougueiros, artesãos ambulantes, mascates, ciganos, senhoras montadas em cavalos ou em carruagens – que olhavam para

Pocahontas – e cavalheiros – que questionavam a seus servos sobre ela. E Pocahontas perguntava a Rolfe sobre todos eles, suas condições, seu modo de viver e como eram suas casas por dentro.

Quando chegaram à margem de Londres, as pessoas foram se aglomerando, e Pocahontas perguntou a Rolfe:

— Por que as pessoas andam de um lado a outro? Há notícias do retorno de um grupo de guerra ou elas comemorarão uma festa grande? – E ela mal conseguia acreditar que aquela movimentação fosse algo comum do dia a dia. Mas assim que as pessoas da multidão a viam, começavam a se aproximar para olhar para ela e para Uttamatomakkin, que olhava para eles de modo tão despreocupado como se estivesse acostumado a ver aquilo sempre, durante toda a vida. Naquele momento, oficiais da Companhia da Virgínia apareceram com uma carruagem, dentro da qual levaram Pocahontas, Rolfe e seu pequeno Thomas, para conseguirem fugir da curiosidade da multidão.

Os dias seguintes foram tomados por novas e desconhecidas alegrias. Costureiros e chapeleiros levavam seus produtos, e a srta. Rebecca logo começou a distinguir o que era melhor no que eles tinham a oferecer. Ela ia a parques, passeava de barco no rio, seu retrato foi pintado com um roupão vermelho de borda dourada com gola e mangas brancas, ela recebia as senhoras que apareciam movidas pela curiosidade para verem com os próprios olhos como uma princesa índia era. E todas elas só tinham boas coisas para dizer a respeito da "delicada srta. Rebecca".

O bispo de Londres tinha um interesse especial naquela mulher nobre e pagã, que tinha se tornado cristã. Ele a acompanhava em muitas ocasiões e decidiu fazer um grande baile em sua homenagem.

— O que eles farão, sr. Bispo? – perguntou ela ao dignitário que havia se afeiçoado tanto àquele novo cordeiro no rebanho, como se ela fosse sua filha. — O que todas as moças farão em um baile?

— Elas dançarão.

— Dançar! – exclamou Pocahontas, animada, pois nunca tinha visto nenhum outro tipo de dança do que aquela que ela própria, usando poucas roupas, fazia antes de se tornar a esposa de um inglês. Aquela dança, ela agora sabia, não era adequada para senhoras inglesas. Por isso, alguns dias depois, observando as mesuras e reverências discretas das moças e seus cavalheiros, Pocahontas se perguntou o que havia de interessante naquilo.

— Mas talvez – ela sugeriu ao bom Bispo — seja uma cerimônia religiosa sobre a qual eu não entendo.

O Bispo riu muito disso e Pocahontas não conseguiu não rir, também, apesar de não saber o que havia de tão engraçado.

Quando a dança terminou, as moças foram apresentadas à srta. Rebecca. Elas não sabiam sobre o que conversar com a desconhecida, mas uma delas, com uma roupa de tafetá e laços de cores tristes, disse languidamente:

— Que dia lindo estamos vivendo.

— Lindo! – exclamou Pocahontas, olhando para o céu cinza pela janela, que não havia derramado chuva nas últimas vinte e quatro horas. — Mas o sol não está brilhando.

Imagino que aqui em Londres vocês deveriam usar as peças mais coloridas para animar a paisagem.

— Então, a srta. Rebecca não gosta de nosso país? – perguntou a dama de cinza.

— Ah, sim. Na verdade, gosto muito de tudo, menos do céu escuro. E já me disseram que é cinza por causa da fumaça da cidade.

Então, Pocahontas viu uma mulher mais velha que Rolfe levava em direção a ela. Havia algo em sua aparência que era muito agradável. Ela tinha uma estatura mediana, com cabelos grisalhos na parte da frente e com faces rosadas, tão rosadas quanto as rosas que ela levava nas mãos. Pocahontas sentiu no mesmo instante que havia uma mulher a quem ela pudesse amar. Sua atitude era tão digna quanto a de qualquer moça ali, mas havia intensidade em sua voz e em seu olhar, o que deixava Pocahontas se sentindo mais à vontade na Inglaterra do que nunca.

— Esta é a Lady De La Ware, cujo marido, você sabe, Rebecca, era o governador de nossa Colônia – disse Rolfe —, e ela trouxe estas rosas inglesas a você. – Então, ele partiu, deixando as duas mulheres juntas.

— São muito lindas, as suas flores – disse Pocahontas, sorrindo para eles e para quem as havia oferecido —, e mais bonitas do que aquelas que crescem em minha terra.

— Mas as suas também são lindas. Soube de muitas árvores e vinhas magníficas que se reproduzem lá e adoraria vê-las.

— Se cruzar o oceano conosco quando voltarmos, mostrarei a você muitas coisas que seriam tão estranhas a seus olhos quanto a sua terra é para mim. Eu a levaria a meu pai,

Powhatan, e ele ofereceria danças em sua homenagem – e ela riu de novo ao pensar nisso —, como o baile que meu Bispo ofereceu a mim.

Lady De La Ware sorriu também. Ela já tinha ouvido falar dos costumes indígenas.

— Talvez um dia você me leve ao salão de seu pai; por enquanto, eu vim levar você ao de nossa Rainha. Ela expressou o desejo de vê-la em breve. Uma carta que foi escrita pelo capitão John Smith a respeito de você fez com que ela ficasse ainda mais interessada em homenagear aquela que é amiga dos ingleses.

— O Capitão John Smith escreveu à Rainha a meu respeito? – perguntou Pocahontas, surpresa.

— Sim, verdade, e como as palavras dele pareciam dignas, eu as memorizei. Ele disse:

"Se a ingratidão for um veneno letal a todas as virtudes, eu seria culpado desse crime se omitisse meus motivos para ser grato. Assim, dez anos atrás, na Virgínia, quando fui feito prisioneiro sob as ordens de Powhatan, o líder e soberano deles, recebi um tratamento muito cortês, principalmente do filho dele, Nautauquas, a alma mais corajosa e receptiva que já vi entre os selvagens, e sua irmã, Pocahontas, a filha mais amada e bem-amada do líder, que não passava de uma criança de doze ou treze anos à época, cujo coração compassivo e misericordioso de meu estado desesperado, me deu motivos para respeitá-la – ela se esforçou muito para me salvar... E o mínimo que posso fazer é contar isso, porque ninguém recebeu esse esforço tanto quanto eu, e falar de tão honrosa pessoa, apesar de ela ser uma menina naquele tempo, é o mínimo que posso fazer para que este Reino a receba do modo justo..."

— E havia muito mais, srta. Rebecca, de que não me lembro agora.

Lady De La Ware não sabia que Pocahontas pensava que Smith estava morto, e Pocahontas, sem imaginar mais nada, achava que Smith tinha escrito aquela carta de Jamestown antes de morrer. Seu coração se aqueceu pensando que, mesmo morrendo, ele tinha feito o que pôde para a felicidade dela, pensando na pequena possibilidade de ela ir para a Inglaterra. A verdade era que Smith estava em Plymouth quando enviou a carta, preparando-se para começar uma expedição à New England. E apesar de não esperar ver Pocahontas, desejava que a Inglaterra – e antes de tudo, a Rainha da Inglaterra – soubesse que eles tinham uma dívida com aquela menina índia.

Aconteceu não muito tempo depois de aquela "Belle Sauvage", como os londrinos às vezes chamavam Pocahontas, e Rolfe serem recebidos num ambiente justo. Uma menina inglesa, da idade de sua convidada, cuja curiosidade a respeito dos modos dos índios só não era maior do que sua gentileza, estava mostrando o velho e belo jardim a ela. Elas tinham falando de Virgínia, e a sra. Alicia disse:

— Veja – e ela espiou por uma abertura na cerca-viva alta —, ali vem o sr. Rolfe com um grupo de cavalheiros. Oh! Um deles é um homem muito corajoso, apesar de não usar roupas bonitas como os outros. Mas, minha nossa, aquele é o capitão John Smith, e claro que ele vem cumprimentar você. Gostaria de ficar para ouvir o que vocês dois têm a dizer um ao outro.

Para Pocahontas, foi como se horas tivessem se passado durante os poucos minutos em que ela ficou sozinha depois de a sra. Alicia deixá-la, enquanto seu marido guiava os convidados até ela pelos labirintos do jardim. Como Smith poderia estar vivo, se ela sabia que ele havia morrido? Mesmo quando, à distância, ela ouviu o som da voz dele, perguntou a si mesma se na verdade tinha sabido sobre a morte dele de outra pessoa que não fossem os homens de Jamestown.

A voz conhecida não era mais fraca como no momento em que ela a ouviu pela última vez, na despedida. Ali estavam eles, os cavalheiros fazendo reverência a ela, mas mantendo-se mais para trás, enquanto Rolfe se aproximava com Smith.

— Trouxe para você um velho amigo, Rebecca – disse ele.

Pocahontas o cumprimentou, mas não havia palavra possível.

John Smith escreveu, mais tarde, a respeito desse encontro:

"Depois de um cumprimento contido, sem nenhuma palavra, ela se virou, escondendo o rosto, aparentemente não muito feliz. E dessa maneira, como seu marido pediu, nós a deixamos sozinha por duas ou três horas".

Ao ver que ela preferia ficar sozinha, os homens se afastaram para tratar dos assuntos da Colônia da Virgínia, uma vez que Smith tinha deixado Jamestown. Pocahontas, sentada em silêncio em um banco do jardim, perto do tanque de carpas, repassava em sua mente tudo o que tinha acontecido em sua vida desde então.

Então, ela o viu se aproximar dela de novo, sozinho, e estendeu a mão a ele.

— Meu pai – disse ela —, você se lembra dos costumes em Wingandacoa quando você chegou a Werowocomoco e foi meu prisioneiro?

— Eu me lembro bem, srta. Rebecca – disse ele, inclinando-se para beijar sua mão —, e sempre serei extremamente grato.

— Não me chame por esse nome estranho. Sempre serei Matoaka para você. Você se lembra de quando surgi à noite, pela floresta, para alertá-lo?

— Eu me lembro, Matoaka. Como poderia me esquecer?

— Você se lembra do dia em que, ferido e caído perto de sua porta, você me fez prometer sempre ser amiga de Jamestown e dos ingleses?

— Pensei nisso por muito tempo.

— Eu cumpri minha promessa, pai, não cumpri?

— De modo nobre, Matoaka; mas você não deve me chamar de pai.

Então, Pocahontas ergueu a cabeça de modo enfático, e esse gesto fez com que Smith se lembrasse da jovem e esperta índia que, por um momento, parecera escondida pelas roupas formais de uma senhora inglesa.

— Você prometeu a Powhatan – disse ela — que o que era seu seria dele, e com ele, a mesma coisa em relação a você. Você o chamou de pai, sendo um desconhecido na terra dele, e por esse motivo, eu faço o mesmo agora.

— Mas, Princesa – disse ele —, é diferente aqui. O Rei não gostaria que eu permitisse isso. Ele poderia dizer que era verdade o que meus inimigos dizem de mim, que eu planejo vencê-los.

— Você teve medo de ir à terra do meu pai e causar medo nele e em todas as pessoas, menos eu, e teme que eu me refira a você como pai? Digo então que você deve me chamar de filha, assim, para sempre serei sua compatriota.

Smith sorriu com a disposição dela, mas se sentia profundamente tocado.

— Pode me chamar como quiser; não temo nada que venha de você.

Pocahontas disse algumas palavras para ele no idioma Powhatan, ansiosa para ver se ele ainda se lembrava. E ele respondeu da mesma maneira. Ela se calou, mas Smith notou que algo a incomodava.

— O que foi, Matoaka? O que pretende me dizer? – perguntou ele.

— Eles me disseram que você estava morto e eu não sabia de nada quando vim para Plymouth, mas Powhatan mandou que Uttamatomakkin procurasse você e soubesse a verdade, porque seus compatriotas mentem demais.

— Não pense mais nisso, irmãzinha, se você me permite te chamar assim. Ainda não estou morto e tenho muitas viagens a fazer. Agradeço ao destino por ainda não ter navegado para aquela costa ao norte de Jamestown, que eles chamam de New England, pois pude vê-la de novo. Quando eu voltar, poderemos conversar muitas vezes.

— Eu não estarei aqui, pai. Nós partiremos em breve. Fui feliz aqui em sua terra, mas agora sofro de uma doença que me disseram se chamar saudade.

— Essa é uma doença que pode ser facilmente curada, Matoaka. Mas quando você for para Wingandacoa de novo, não se esqueça da Inglaterra e dos amigos que nunca se esquecerão de você.

Nos dias seguintes, Lady De La Ware, tocada pelo afeto que Pocahontas demonstrava em relação a ela, a acompanhou por todos os lados, ao lindo recital escrito pelo poeta Ben Jonson, que foi realizado na Noite de Reis, até a peça escrita pelo mestre William Shakespeare, chamada *A Tempestade*, que apresentava personagens presos em uma ilha no ocidente.

Tudo era tão interessante que sua vida nova parecia levá-la cada vez mais longe da antiga e simples vida da floresta e do rio. Então, aconteceu a apresentação à Rainha Ana da Dinamarca, acompanhada de James VI da Escócia e I da Inglaterra. Lady De La Ware viu que a roupa de Lady Rebecca combinava com sua pele e cabelos escuros.

Antes de chegarem ao teatro, havia muitos corredores e antessalas repletos de cortesãos e senhoras, cujos olhares curiosos poderiam ter desanimado qualquer mulher que não estivesse acostumada à vida nos salões; mas Pocahontas passou alheia a tudo isso.

No grande salão que elas adentraram por fim, cheio de rica tapeçaria e mobiliado com cadeiras de madeira escura e bancos cobertos com veludo roxo, algumas pajens e as aias da Rainha lhe faziam companhia. Conforme Pocahontas e Lady De La Ware avançavam, a Rainha fez um gesto para que todos se afastassem o máximo que pudessem para o fundo da sala. Ela respondeu aos cumprimentos de Pocahontas e sua acompanhante, mas não estendeu a mão para ser beijada, como teria feito se não considerasse a desconhecida a sua frente como uma princesa de sangue nobre.

— Agradeço por você ter vindo – disse ela graciosamente. — Há muito desejo vê-la. O Capitão Smith estava certo quando ele me disse o que nosso povo deve a você; ele, acima de todos.

— Ele é muito querido por meu povo também – respondeu Pocahontas.

— Sua Majestade soube como os homens se referem ao capitão Smith na Colônia? – perguntou Lady De La Ware. — Meu irmão que ainda está em Jamestown escreveu o que um dos colonos que se ressentiu com a partida do grande Capitão disse a respeito dele:

"O que posso dizer a respeito dele além de que nós o perdemos? E que em todas as atitudes, a justiça sempre o orientou, seguida pela experiência. E que ele sempre repudiou a preguiça, o orgulho e a falta de dignidade mais do que qualquer outro risco; que nunca permitiu que ele próprio tivesse mais do que seus soldados; que nenhum perigo fazia com que eles os mandasse para onde ele próprio não iria; que não se permitia ter ou conseguir o que não tínhamos nem conseguíamos; que ele preferia precisar a pegar emprestado, preferia morrer de fome a ter dívidas; que ele amava as atitudes mais do que as palavras, e detestava a falsidade e a mentira mais do que a morte; cujas aventuras eram nossa vida, e cuja perda era nossa morte."

— Conte-me de sua longa viagem – pediu a rainha; e sentando-se, abriu espaço para Pocahontas ao lado dela, enquanto Lady De La Ware se afastava para conversar com as moças. — Não entendo como os homens, e mais especificamente as mulheres, ousam se lançar a uma viagem tão comprida no mar. Quando me casei com meu marido, o Rei, tentei ir de navio da Dinamarca para a Escócia, mas as tempestades foram tão fortes que tivemos que parar na Noruega, quase perdemos a vida. E de lá se salvou meu senhor, contrariando os pedidos de seus conselheiros, que tentaram convencê-lo a não arriscar sua segurança nas tempestades de inverno. Ah, eu não amo o mar.

— Não o temo – disse Pocahontas —, mas pensei que nunca terminaria. Mas se estivesse sozinha, sem meu marido e meu filho... – então, sem saber que as regras de etiqueta ditavam que o assunto só poderia ser alterado pela soberana, ela perguntou: — Quantos filhos a senhora tem?

A Rainha Ana gostou da naturalidade dela e contou sobre seu filho e sua filha, e do maravilhoso Príncipe Henrique, que ela tinha perdido.

Enquanto elas permaneciam falando de seus filhos bem baixinho, como duas donas de casa comum, ouviu-se uma comoção no fim do corredor. Os pajens pareciam muito ansiosos, sem saber o que fazer. Mas não teriam como impedir o que aconteceria, e dentro do salão, com seu longo manto, mocassins e cocar de penas, entrou Uttamatomakkin. Pocahontas, olhando para a frente, viu que ele observava com atenção toda a decoração do salão e então, olhou para a Rainha.

— A senhora é a mulher do grande cacique branco? – perguntou ele. — E este é o salão cerimonial? Eu já vi o Rei e ele é uma criaturinha frágil que qualquer criança em Werowocomoco conseguiria derrubar.

— Quem é ele e o que ele diz? – perguntou a Rainha, encantada pela aparência estranha dele.

— É um dos meus compatriotas, Madame, e ele deseja saber se a senhora de fato é a Rainha sobre quem ele deve falar quando voltar a Wingandacoa. – Ela não achou que seria inteligente repetir o resto dos comentários.

A Rainha, cuja curiosidade era grande em relação àquela raça desconhecida e distante, sobre a qual tinha ouvido muitas histórias, fez um gesto para que Uttamatomakkin se aproximasse. O índio caminhou com firmeza até onde ela estava.

— De que esse manto é feito? – perguntou a soberana, segurando a ponta pintada e bordada do roupão de pele de cervo e esfregando-o entre os dedos.

Uttamatomakkin, pensando ser aquela a maneira que os ingleses tinham de cumprimentar as pessoas, sem querer ser deselegante, pegou a saia de veludo da Rainha Ana e, com gritinhos assustados das moças próximas deles, tocou o tecido da mesma maneira.

— Você não deve fazer isso – Pocahontas o repreendeu, tentando não rir. Mas Uttamatomakkin resmungou:

— Por que eu não posso fazer o que uma mulher faz?

A Rainha recuperou a compostura e em sinal de simpatia, tirou o broche de ouro e o prendeu na altura do ombro do índio. Então, o cacique soltou sua corrente de cascas de castanha e, antes que alguém se desse conta do que ele estava fazendo, ele a prendeu em um grampo perolado da roupa da Rainha.

— Estou vendo que não tenho como vencê-lo, srta. Rebecca – a rainha riu —, mas pergunte a ele o que vai fazer com esse graveto comprido.

As pajens, cujo interesse naquele selvagem superou, por um momento, a noção de bons modos, haviam se aproximado aos poucos do fim do corredor onde ele estava. Observaram com atenção e com certo medo do desconhecido enquanto ele tirava da bolsa um graveto branco e a faca da bainha. Viram que o graveto estava coberto de marquinhas; e o índio, observando as pessoas, fez muito mais marcas nele.

— O que está fazendo, Uttamatomakkin? – perguntou Pocahontas.

— O cacique, seu pai, mandou que eu marcasse e mostrasse para ele, ao voltar, quantas pessoas brancas havia nesta terra. Fiz uma marca para cada um que contei, a princípio, mas meu graveto está todo coberto agora e Powhatan não saberá que os caras-pálidas existem aqui como abelhas numa árvore oca.

Pocahontas repetiu para a Rainha o que ele tinha dito, e a soberana achou engraçado.

— Mas vocês não planejam voltar para a Virgínia em breve? – perguntou ela.

— Por mais que eu goste de sua terra e de seu povo querido – respondeu Pocahontas quando se levantou para sair —, está na hora de levantarmos vela em direção ao oeste de novo. Adeus.

Então, acompanhada pela Lady De La Ware e por Uttamatomakkin, ela deixou o salão.

— A srta. Rebecca – disse a Rainha a suas aias quando Pocahontas desapareceu atrás das cortinas fechadas – é uma das mulheres mais gentis que a Inglaterra já conheceu.

Virginia em 1606, pelo mapa de John Smith

POS FÁCIO

Por Sarah J. Stebbins

Além
dos diários de John Smith

Pocahontas: Sua Vida, sua Lenda

Poucas coisas são conhecidas sobre esta memorável mulher. O que sabemos foi escrito por terceiros, uma vez que nenhum de seus pensamentos ou sentimentos pôde ser registrado. Especificamente, sua vida foi contada através de registros históricos escritos e, mais recentemente, pela sagrada história oral dos Mattaponi. Pocahontas deixou uma impressão indelével que tem durado por mais de 400 anos. E, mesmo assim, a maioria das pessoas que conhece seu nome pouco sabe de sua história.

A História Escrita

Pocahontas nasceu por volta de 1596, sob o nome de "Amonute", ainda que ela já tivesse um nome mais íntimo: Matoaka. Pocahontas é um apelido, que significa "criança levada", por conta de sua natureza brincalhona e curiosa. Ela era filha do Chefe Powhatan Wahunsenaca, o *mamanatowick* – chefe supremo – da Tribo Powhatan. O domínio Powhatan tinha aproximadamente 25.000 habitantes e incluía mais de 30 tribos falantes da língua algonquina – cada uma com seu próprio *werowance* (chefe). Os índios Powhatan chamavam sua terra natal de "Tsenacomoco".

Como filha do principal chefe Powhatan, a tradição mandava que Pocahontas deveria viver em outra vila, acompanhada por sua mãe, depois de seu nascimento (Powhatan ainda cuidaria delas). No entanto, nada foi escrito pelos ingleses sobre a mãe de Pocahontas. Alguns historiadores teorizaram que ela pode ter morrido durante o parto, então é possível que Pocahontas não tenha se mudado como a maioria de suas meias-irmãs fez. De qualquer forma, Pocahontas teria eventualmente retornado a morar com seu pai Powhatan e suas meias-irmãs quando estivesse crescida. Sua mãe, se ainda estivesse viva, estaria então livre para se casar novamente.

Quando menina, Pocahontas teria usado pouca ou talvez nenhuma roupa, e seu cabelo estaria raspado, exceto por uma pequena seção na parte de trás, que seria longa e normalmente trançada. As partes raspadas eram provavelmente desgrenhadas, já que os índios Powhatan usavam conchas de mexilhão para a raspagem. No inverno, Pocahontas podia usar seu manto de pele de veado (nem todos podiam se dar ao luxo de ter um). Conforme crescia, ela teria aprendido o trabalho das mulheres; ainda que ser a filha favorita do

Ao lado:
Pocahontas, *The Generall Historie of Virginia*, 1624
Houghton Library

Acima:

A chegada a Jamestown, em 1607, *Indian history for young folks*, Drake, Francis S., 1919.

supremo chefe Powhatan desse a ela uma vida mais privilegiada e mais proteção, ela ainda teria que aprender como ser uma mulher adulta.

O trabalho das mulheres era separado daquele que os homens faziam, mas ambos tinham demanda e importância igual, já que beneficiavam a sociedade Powhatan. Como Pocahontas aprenderia, além de gerar e criar filhos, as mulheres eram responsáveis por construir as casas (chamadas de *yehakins* pelos Powhatans) que lhes pertenciam. As mulheres cuidavam de toda a agricultura (plantar e colher), cozinhavam (preparavam e serviam), coletavam a água necessária cozinhar e beber, recolhiam lenha para os fogos (que eram mantidos acesos o tempo todo), faziam tapetes para dentro e fora das casas, além de cestos, panelas, cordame, colheres de madeiras, travessas e almofarizes. As mulheres também eram barbeiras para os homens e cozinhavam qualquer carne que eles trouxessem para a casa, além de curtir peles para fazer roupas.

Outra tarefa importante que Pocahontas teria que aprender era como coletar plantas comestíveis. Como resultado, ela teria que identificar os vários tipos de plantas úteis e ter a habilidade de reconhecê-las em todas as estações. Pocahontas teria aprendido todas as habilidades necessárias para ser uma mulher adulta quando completasse treze anos, a idade média em que as mulheres Powhatan alcançavam a puberdade.

Quando os ingleses chegaram e se estabeleceram em Jamestown em maio de 1607, Pocahontas tinha por volta de 11 anos de idade. Ela e seu pai não conheceram nenhum inglês até o inverno daquele mesmo ano, quando o Capitão John Smith (que é, provavelmente, tão famoso quanto Pocahontas) foi capturado por Opechancanough, irmão de Powhatan. Uma vez capturado, Smith foi exibido em diversas cidades Powhatans antes de ser levado à capital da tribo, Werowocomoco, ao Chefe Powhatan.

O que aconteceu a seguir é o que manteve os nomes de Pocahontas e Capitão John Smith intrinsecamente ligados: o famoso resgate de John Smith por Pocahontas. Como Smith conta, ele foi levado diante do Chefe Powhatan; duas grandes pedras foram colocadas no chão e sua cabeça foi forçada sobre elas enquanto um guerreiro se preparava para acertá-la com um porrete. Antes que isso pudesse acontecer, Pocahontas se apressou em colocar a própria cabeça sobre a dele, o que interrompeu a execução. Há séculos é debatido se isso de fato aconteceu ou não. Uma teoria defende que foi uma elaborada cerimônia de adoção; seus seguidores acreditam que a vida

These are the Lines that shew thy Face; but those

de Smith nunca esteve em perigo, ainda que ele não soubesse disso. Depois da cerimônia, Powhatan disse a Smith que ele era parte da tribo. Em troca de "duas armas grandes e um rebolo", Powhatan daria a Smith Capahowasick (um pedaço de terra próxima ao Rio York) e passaria a estimá-lo como a um filho. Foi então concebido a Smith a permissão de deixar Werowocomoco.

Quando Smith voltou a Jamestown, o Chefe Powhatan mandou como presente comida para os ingleses famintos. Esses envios eram geralmente acompanhados por Pocahontas, já que ela era um símbolo de paz para os ingleses. Em suas visitas ao forte, Pocahontas era vista brincando com os meninos ingleses, fazendo jus a seu apelido de "criança levada".

Os ingleses conheciam Pocahontas como a filha favorita do grande Powhatan e, consequentemente, ela era vista como uma pessoa muito importante. Em uma ocasião, ela foi mandada para negociar a liberação de prisioneiros Powhatans. De acordo com John Smith, foi apenas por Pocahontas que ele os libertou. Conforme o tempo passava, no entanto, as relações entre os índios Powhatan e os ingleses começaram a se deteriorar, mas a relação de Pocahontas com os caras-pálidas não terminou.

No inverno de 1608-1609, os ingleses visitaram várias tribos Powhatan para trocar contas e outras bugigangas por milho, apenas para descobrir que uma seca severa tinha reduzido dramaticamente a colheita das tribos. Para completar, a política oficial de Powhatan para suas tribos era cessar as negociações com os ingleses. Os colonos estavam exigindo mais comida do que os índios tinham de

Ao lado:

John Smith, *The Generall Historie of Virginia*, 1624 *Houghton Library* sobra, o que levou os ingleses a ameaçá-los e queimar cidades para obtê-la. Chefe Powhatan enviou uma mensagem a John Smith, informando que, se trouxesse para Werowocomoco espadas, armas, galinhas, cobre, miçangas e uma pedra de amolar, ele carregaria o navio de Smith com milho. Smith e seus homens visitaram Powhatan para fazer a troca, mas a negociação não foi bem. Powhatan e sua família, incluindo Pocahontas, foram embora pela floresta, desconhecida para Smith e seus homens. Smith já havia suspeitado de que havia algo errado, mas ainda estava grato por Pocahontas estar disposta a arriscar sua vida para salvá-lo mais uma vez. Depois disso, ela desapareceu na floresta, para nunca mais ver Smith na Virgínia outra vez.

Enquanto a relação entre os dois povos se deteriorava, Chefe Powhatan, ciente da constante demanda dos ingleses por comida, moveu a capital de Werowocomoco (no Rio York) em 1609 para Orapaks (no Rio Chickahominy), mais para o interior do território. Pocahontas não mais tinha permissão para visitar Jamestown. No outono de 1609, Smith deixou a Virgínia por causa de um grave ferimento de bala. Foi dito a Pocahontas e Powhatan que Smith morrera no caminho de volta à Inglaterra.

Pocahontas parou de visitar os ingleses, mas esse não foi o fim de seu envolvimento com eles. John Smith registrou que ela salvou a vida de Henry Spelman, um dos muitos meninos ingleses que haviam sido mandados para viver com os índios Powhatan para aprender sua língua e estilo de vida – meninos índios também foram levados para viver com os ingleses com o mesmo objetivo. Em 1610, Spelman já não se sentia bem-vindo entre os índios e fugiu com outros dois garotos, Thomas Savage e Samuel (que era holandês, e cujo sobrenome não se sabe). Savage mudou de ideia, retornou aos Powhatans e contou sobre a fuga. De acordo com Spelman, Powhatan não gostou de perder seus tradutores e mandou homens para trazer os garotos de volta. Samuel foi morto durante a caçada, mas Spelman escapou e foi viver com a tribo Patawomeck – uma comunidade periférica do domínio Powhatan. O registro dele conta que Spelman escapou sozinho, mas Smith, que conversou com Pocahontas anos mais tarde, conta que a índia o ajudou a escapar com segurança.

Os anos 1609 e 1610 foram importantes para Pocahontas. Ela, que tinha então catorze anos, tinha alcançado a idade adulta e estava pronta para se casar. Começou a se vestir como uma índia Powhatan, usando um avental de camurça e um manto de couro no inverno, devido a sua posição social. Passou também a usar vestidos de camurça com franjas de um ombro só ao encontrar visitantes e a decorar sua pele com tatuagens. Quando viajava pela floresta, ela usava perneiras e um calção para se proteger contra arranhões, que podiam ser facilmente infectados. Pocahontas também teria deixado o cabelo crescer e o usado de várias maneiras: solto, com uma única trança e franja ou, depois de casada, cortado curto.

Em 1610, Pocahontas casou-se com Kocoum, a quem o inglês William Strachey descreveu como "capitão particular". Kocoum não era chefe ou conselheiro, embora a menção de ser um "capitão particular" implica que ele possuía domínio sobre alguns homens. O fato de ele não ser chefe e, portanto, não ter status elevado, sugere que Pocahontas pode ter se casado por amor. Kocoum pode ter sido membro da tribo Patawomeck. Ele também pode ter sido um membro

ALÉM DOS DIÁRIOS DE JOHN SMITH | 291

dos guarda-costas de Powhatan. Pocahontas permaneceu perto de seu pai e continuou a ser sua filha favorita após o casamento, como sugere os registros ingleses. Pocahontas tinha o direito de escolher com quem se casar, assim como as outras mulheres na sociedade Powhatan.

Pelos próximos anos, Pocahontas não foi mencionada nos registros ingleses. Em 1613, isso mudou quando o Capitão Samuel Argall descobriu que ela estava vivendo com os Patawomeck. Argall sabia que as relações entre os índios Powhatan e os ingleses ainda eram fracas. Capturar Pocahontas poderia dar a ele a vantagem necessária para mudar isso. Argall se encontrou com Iopassus, chefe da cidade de Passapatanzy e irmão do chefe da tribo Patawomeck, para conseguir ajuda para sequestrar Pocahontas. A princípio, o chefe se negou, sabendo que Powhatan puniria o povo Patawomeck. Por fim, os Patawomeck decidiram cooperar com Argall; eles podiam dizer a Powhatan que haviam sido coagidos. A armadilha estava pronta.

Pocahontas acompanhou Iopassus e sua esposa para ver o navio inglês do Capitão Argall. A esposa de Iopassus então fingiu querer embarcar – um desejo que seu marido permitiria apenas se Pocahontas a acompanhasse. Pocahontas negou a princípio, sentindo que algo não estava certo, mas finalmente concordou quando a esposa de Iopassus começou a chorar. Depois de comer, Pocahontas foi levada à sala do artilheiro para passar a noite. De manhã, quando os três visitantes estavam prontos para desembarcar, Argall se recusou a permitir que Pocahontas deixasse o navio. Iopassus e sua esposa pareciam surpresos.

Ao lado:
Pocahontas, de Pierre Gustave Staal, *World Noted Women* de Mary Cowden Clarke, 1858

292 | POSFÁCIO

Acima:

Florestas em Plymouth, *Indian history for young folks*, Drake, Francis S., 1919.

Argall declarou que Pocahontas estava sendo mantida como moeda de troca pelas armas roubadas e prisioneiros ingleses mantidos por seu pai. Iopassus e sua esposa foram embora com uma pequena chaleira de cobre e outras bugigangas como recompensa por sua parte no sequestro.

Após sua captura, Pocahontas foi levada para Jamestown. Eventualmente, ela foi levada para Henrico, um pequeno povoado inglês perto da atual Richmond. Powhatan, informado dos custos de captura e resgate da filha, imediatamente concordou com muitas das exigências inglesas para abrir negociações. Enquanto isso, Pocahontas foi colocada sob o comando do reverendo Alexander Whitaker, que morava em Henrico. Ela aprendeu o idioma, a religião e os costumes ingleses. Embora nem tudo fosse estranho para Pocahontas, era muito diferente do mundo Powhatan.

Durante sua instrução religiosa, Pocahontas conheceu o viúvo John Rolfe, que se tornaria famoso por apresentar o tabaco para os colonos da Virgínia. Segundo todos os relatos em inglês, os dois se apaixonaram e queriam se casar. (Talvez, depois que Pocahontas foi sequestrada, Kocoum, seu primeiro marido, percebeu que o divórcio era inevitável. Depois que Powhatan recebesse a notícia de que Pocahontas e Rolfe queriam se casar, seu povo consideraria Pocahontas e Kocoum como divorciados.) Powhatan consentiu com o casamento proposto e enviou um tio de Pocahontas para representar ele e seu povo no casamento.

Em 1614, a princesa se converteu ao cristianismo e recebeu "Rebecca" como nome de batismo. Em abril de 1614, ela e John Rolfe se casaram. O casamento levou à "Paz de Pocahontas"; uma pausa nos inevitáveis conflitos entre os ingleses e os índios Powhatan. Os Rolfes logo tiveram um filho chamado Thomas. The Virginia Company of London, que havia financiado a construção de Jamestown, decidiu usar a filha favorita do grande Powhatan em seu favor. Eles pensaram que, como uma cristã convertida casada com um

inglês, Pocahontas poderia incentivar o interesse na Virgínia e na empresa.

A família Rolfe viajou para a Inglaterra em 1616, com as despesas pagas pela Virginia Company of London. Pocahontas, conhecida como "Lady Rebecca Rolfe", também foi acompanhada por cerca de uma dúzia de homens e mulheres Powhatan. Uma vez na Inglaterra, a companhia percorreu o país. Pocahontas assistiu a um espetáculo onde se sentou perto do Rei James I e da Rainha Anne. Eventualmente, a família Rolfe mudou-se para a zona rural de Brentford, onde Pocahontas encontraria novamente o Capitão John Smith.

Smith não se esquecera de Pocahontas e até escrevera uma carta para a rainha Anne descrevendo tudo o que a princesa havia feito para ajudar os ingleses nos primeiros anos de Jamestown. Pocahontas estava na Inglaterra há meses antes de Smith a visitar. Ele escreveu que, nesse reencontro, ela estava tão emocionada que não conseguiu falar e se afastou dele. Ao ganhar a compostura, Pocahontas repreendeu Smith pela maneira como tratara o pai e o povo. Ela lembrou-lhe como Powhatan o recebera como filho, como Smith o chamava de "pai". Pocahontas, uma estranha na Inglaterra, sentiu que deveria chamar Smith de "pai". Quando Smith se recusou a permitir que ela o fizesse, ela ficou mais irritada e lembrou-lhe de como ele não tivera receio de ameaçar cada pessoa de seu povo - exceto ela. Ela disse que os colonos informaram que Smith havia morrido após o acidente, mas que Powhatan suspeitava do contrário.

Ao lado:
Pocahontas salvando John Smith, 1870
Library of Congress

Em março de 1617, a família Rolfe estava pronta para retornar à Virgínia. Depois de viajar pelo Rio Tâmisa, Pocahontas, gravemente doente, teve que ser levada para terra. Pocahontas morreu em Gravesend, de uma doença não especificada. Muitos historiadores acreditam que ela sofria de uma doença respiratória, como pneumonia, enquanto outros acham que ela pode ter morrido de algum tipo de disenteria. Pocahontas, com cerca de 21 anos, foi enterrada na igreja de St. George em 21 de março de 1617. John Rolfe retornou à Virgínia, mas deixou o jovem Thomas com parentes na Inglaterra. Dentro de um ano, Powhatan morreu. A "Paz de Pocahontas" começou a se desfazer lentamente. A vida para o seu povo nunca mais seria a mesma.

A História Oral

Publicada em 2017, *The True Story of Pocahontas: The Other Side of History*, escrita por Dr. Linwood "Little Bear" Custalow e Angela L. Daniel "Silver Star", baseada na tradição oral sagrada da tribo Mattaponi, oferece uma visão mais ampla, e bem diferente, da Pocahontas real.

Pocahontas foi a última filha de Wahunsenaca (Chefe Powhatan) e sua primeira esposa, também de nome Pocahontas, com quem se casou por opção e amor. A mãe de Pocahontas morreu durante o parto. A filha recebeu o nome de Matoaka, que significava "flor entre dois riachos". O nome provavelmente veio do fato de que a vila de Mattaponi estava localizada entre os rios Mattaponi e Pamunkey e que sua mãe e seu pai pertenciam cada um a uma das tribos, respectivamente.

Wahunsenaca ficou arrasado com a perda de sua esposa, mas encontrou alegria em sua filha. Ele costumava chamá-la de Pocahontas, que significava "aquela que é risonha e alegre", já que ela o lembrava de sua amada esposa. Não havia dúvida de que ela era a favorita dele e que os dois tinham um vínculo especial. Mesmo assim, Wahunsenaca achou melhor enviá-la para ser criada na vila Mattaponi, em vez de em sua capital Werowocomoco. Ela foi criada por suas tias e primos, que cuidavam dela como se ela lhes pertencesse.

Após o desmame de Pocahontas, ela voltou a morar com o pai em Werowocomoco. Wahunsenaca teve outros filhos com a mãe de Pocahontas e também com suas outras esposas, mas Pocahontas ocupou um lugar especial no coração de seu pai. Pocahontas também tinha um amor e respeito especiais por seu pai. Todas as ações dos dois foram motivadas pelo profundo amor um pelo outro, seu vínculo profundo e forte. A maioria de seus irmãos era mais velha, pois Wahunsenaca foi pai de Pocahontas tarde em sua vida. Muitos de seus irmãos e irmãs ocuparam posições de destaque na sociedade Powhatan. Sua família era muito protetora e se asseguravam de que ela fosse bem cuidada.

Quando criança, a vida de Pocahontas era muito diferente da de um adulto. A distinção entre infância e idade adulta era visível tanto pela aparência física quanto pelo comportamento. Pocahontas não teria cortado o cabelo ou usado roupas até atingir a maioridade (no inverno, usava uma capa para se proteger contra o frio). Havia também certas cerimônias que ela não tinha permissão para participar ou mesmo testemunhar. Mesmo quando criança, os padrões culturais da sociedade Powhatan se aplicavam a ela e, de fato, como filha do chefe supremo, mais responsabilidade e disciplina eram esperadas dela. Pocahontas também recebeu mais supervisão e treinamento; como filha favorita de Wahunsenaca, ela provavelmente também tinha ainda mais segurança.

Quando os ingleses chegaram, o povo Powhatan os recebeu bem. Eles queriam se tornar amigos e negociar com os colonos. Cada tribo dentro do Chefe Powhatan tinha *quiakros* (sacerdotes) que eram líderes espirituais, conselheiros políticos, médicos, historiadores e aplicadores das normas comportamentais de Powhatan. Os *quiakros* aconselharam conter os ingleses e torná-los aliados do povo Powhatan. Wahunsenaca concordou com eles. Durante o inverno de 1607, a amizade se solidificou.

O evento mais famoso da vida de Pocahontas, o resgate do capitão John Smith, não aconteceu da maneira como ele o escreveu. Smith estava explorando quando encontrou um grupo de caça Powhatan. Uma luta se seguiu, e Smith foi capturado por Opechancanough. Opechancanough, um irmão mais novo de Wahunsenaca, levou Smith de vila em vila para demonstrar ao povo Powhatan que Smith, em particular, e os ingleses, em geral, eram tão humanos quanto os índios. O "resgate" foi uma cerimônia, iniciando Smith como outro chefe. Era uma maneira de acolhê-lo e, por extensão, todos os ingleses, na nação Powhatan.

Wahunsenaca realmente gostava de Smith. Ele até ofereceu um local mais saudável para os ingleses, Capahowasick, a leste de Werowocomoco. A vida de Smith nunca esteve em perigo. Quanto a Pocahontas, ela não estaria presente, pois as crianças não eram permitidas em rituais religiosos. Posteriormente, Pocahontas consideraria Smith um líder e defensor do povo Powhatan, como chefe aliado da tribo inglesa. Ela esperava que Smith fosse leal ao seu povo, já que

Acima:

Chefe Powhatan, *Indian history for young folks*, Drake, Francis S., 1919.

ele havia prometido amizade a Wahunsenaca. Na sociedade Powhatan, a palavra de alguém era um vínculo. E esse vínculo era sagrado.

Os ingleses foram bem recebidos pelo povo Powhatan. Para consolidar essa nova aliança, Wahunsenaca enviou comida para Jamestown durante o inverno de 1607-08. Fazer isso era o modo Powhatan, pois os líderes agiam pelo bem de toda a tribo. Foi durante essas visitas ao forte com comida que Pocahontas ficou conhecida pelos ingleses como um símbolo de paz. Como ainda era criança, não teria permissão para viajar sozinha ou sem a proteção e permissão adequadas do pai. A forte segurança que cercava Pocahontas em Jamestown, embora muitas vezes disfarçada, pode ter sido como os ingleses perceberam que ela era a favorita de Wahunsenaca.

Com o tempo, as relações entre os índios Powhatan e os ingleses começaram a se deteriorar. Os colonos exigiam agressivamente alimentos que, devido às secas do verão, não podiam ser fornecidos. Em janeiro de 1609, o capitão John Smith fez uma visita não convidada a Werowocomoco. Wahunsenaca repreendeu Smith pela conduta de seus compatriotas. Ele também expressou seu desejo de paz com os ingleses. Wahunsenaca seguiu a filosofia Powhatan de ganhar mais por meios pacíficos e respeitosos do que por guerra e força. Segundo Smith, durante essa visita, Pocahontas novamente salvou sua vida correndo pela floresta naquela noite para avisá-lo de que seu pai pretendia matá-lo. No entanto, como em 1607, a vida de Smith não estava em perigo. Pocahontas ainda era uma criança muito bem protegida e supervisionada; é improvável que ela fosse capaz de fornecer tal aviso. Seria contrário aos padrões culturais dos Powhatan em relação às crianças. Se Wahunsenaca realmente pretendia matar Smith, Pocahontas não poderia ter passado pelos guardas de Smith, muito menos impedido sua morte.

Como as relações continuaram a piorar entre os dois povos, Pocahontas parou de visitar Jamestown, mas os ingleses não a esqueceram. Pocahontas teve sua cerimônia de maioridade, simbolizando que ela era elegível para namoro e casamento. Essa cerimônia acontecia anualmente e meninos e meninas de 12 a 14 anos participavam. A cerimônia de amadurecimento de Pocahontas (chamada de *huskanasquaw* para meninas) ocorreu quando ela começou a mostrar sinais de feminilidade. Com a ausência de sua mãe, sua irmã mais velha Mattachanna supervisionou a *huskanasquaw*, durante a qual a filha de Wahunsenaca mudou oficialmente seu nome para Pocahontas. A cerimônia em si foi realizada de forma discreta e mais secreta do que o normal, porque os *quiakros* ouviram rumores de que os ingleses planejavam sequestrar Pocahontas.

Após a cerimônia, um *powwow* foi realizado em comemoração e ação de graças. Durante o *powwow*, uma dança de cortejo permitiu que guerreiros solteiros procurassem uma companheira. É provável que durante essa dança Pocahontas conheceu Kocoum. Após um período de namoro, os dois se casaram. Wahunsenaca estava feliz com a escolha de Pocahontas, pois Kocoum não era apenas irmão de um amigo íntimo dele, o chefe Japazaw (também chamado Iopassus) da tribo Potowomac (Patawomeck), mas também era um dos seus melhores guerreiros. Ele sabia que Pocahontas estaria bem protegida.

Os rumores de que os ingleses queriam sequestrar Pocahontas ressurgiram, então ela e Kocoum se mudaram para a aldeia natal dele. Enquanto estava lá, Pocahontas deu à luz um filho. Então, em 1613, foi realizado o há muito suspeito plano inglês de sequestrar Pocahontas. O capitão Samuel Argall exigiu a ajuda do chefe Japazaw. Um conselho foi realizado com os *quiakros* enquanto a palavra foi enviada a Wahunsenaca. Japazaw não queria dar Pocahontas a Argall; ela era sua cunhada. No entanto, não concordar significaria ataque por um implacável Argall, um ataque do qual o povo de Japazaw não poderia se defender. Japazaw finalmente escolheu o menor dos dois males e concordou com o plano de Argall, para o bem da tribo. Para obter a simpatia do capitão e possível ajuda, Japazaw disse que temia retaliação por Wahunsenaca. Argall prometeu sua proteção e garantiu ao chefe que nenhum dano aconteceria a Pocahontas. Antes de concordar, Japazaw fez mais uma barganha com Argall: o capitão libertaria Pocahontas logo após ela ser trazida a bordo do navio. Argall concordou. A esposa de Japazaw foi enviada para buscar Pocahontas. Assim que a princesa estava a bordo, Argall quebrou sua palavra e não a libertou. Ele entregou uma chaleira de cobre a Japazaw e sua esposa por sua "ajuda" e como forma de implicá-los na traição.

Antes de o capitão Argall partir com sua cativa, ele mandou matar Kocoum – felizmente o filho deles estava com outra mulher da tribo. Argall então levou Pocahontas para Jamestown. O pai dela imediatamente devolveu os prisioneiros e armas ingleses para pagar seu resgate. Pocahontas não foi libertada e, em vez disso, foi colocada sob os cuidados de Sir

Thomas Gates, que supervisionou o resgate e as negociações. Fazia quatro anos que Pocahontas vira os ingleses pela primeira vez; agora ela tinha quinze ou dezesseis anos.

Um golpe devastador foi causado a Wahunsenaca e ele caiu em profunda depressão. Os *quiakros* aconselharam retaliação, mas Wahunsenaca recusou. As diretrizes culturais enraizadas enfatizavam soluções pacíficas; além disso, ele não queria arriscar que Pocahontas fosse prejudicada. Ele se sentiu compelido a escolher o caminho que melhor garantisse a segurança de sua filha.

Enquanto em cativeiro, Pocahontas também ficou profundamente deprimida, mas se submeteu à vontade de seus captores. Ser levada em cativeiro não era estranho, pois também acontecia entre tribos. Pocahontas saberia como lidar com uma situação dessas, como cooperar. Então, foi exatamente o que ela fez, para o bem de seu povo e como meio de sobrevivência. Ela aprendeu inglês, especialmente as crenças religiosas dos colonos, através do reverendo Alexander Whitaker, de Henrico. Seus captores insistiram que seu pai não a amava e lhe disseram isso continuamente. Oprimida, Pocahontas sofreu um colapso nervoso, e os ingleses pediram que uma irmã fosse enviada para cuidar dela. Sua irmã Mattachanna, que estava acompanhada pelo marido, foi enviada. Pocahontas confidenciou a Mattachanna que havia sido estuprada e que pensava estar grávida. Esconder a gravidez foi a principal razão pela qual Pocahontas foi transferida para Henrico depois de apenas três meses em Jamestown. Ela enfim deu à luz um filho chamado Thomas. A data de nascimento dele não é registrada,

Acima:
O casamento de Pocahontas e John Rolfe, arte de Geo Spohni, 1867. *Library of Congress.*

mas a história oral afirma que foi antes que Pocahontas se casasse com John Rolfe.

Na primavera de 1614, os ingleses continuaram a provar a Pocahontas que seu pai não a amava. Eles ensaiaram trocá-la por seu resgate (na verdade, o segundo resgate desse tipo). Durante a troca, houve uma briga e as negociações foram encerradas pelos dois lados. Pocahontas foi informada dessa "recusa" no pagamento de seu resgate, provando que seu pai amava mais as armas inglesas do que a ela.

Logo após a tentativa de resgate, Pocahontas se converteu ao cristianismo e foi renomeada como Rebecca. Em abril de 1614, ela e John Rolfe se casaram em Jamestown. Se ela realmente quis se converter é questionável, pois tinha pouca escolha. Ela era uma prisioneira que queria representar seu

Acima:
O batismo de Pocahontas, arte de Charles Burt,
baseada em John G. Chapman, 1902.

povo da melhor maneira possível e protegê-lo. Ela provavelmente se casou com John Rolfe por vontade própria, uma vez que já tinha um filho meio branco que poderia ajudar a criar um vínculo entre os dois povos. Seu pai consentiu o casamento, mas apenas porque ela estava sendo mantida em cativeiro e ele temia o que poderia acontecer se dissesse não. John Rolfe casou-se com Pocahontas para obter a ajuda dos *quiakros* com suas plantações de tabaco. Com o casamento, importantes laços de parentesco se formaram e os *quiakros* concordaram em ajudar Rolfe.

Em 1616, os Rolfes e vários representantes Powhatan, incluindo Mattachanna e seu marido Uttamattamakin, foram enviados para a Inglaterra. Vários desses representantes eram na verdade *quiakros* disfarçados. Em março de 1617, a família estava pronta para retornar à Virgínia depois de uma excursão bem-sucedida organizada para ganhar o interesse inglês em Jamestown. Enquanto estava no navio, Pocahontas e o marido jantaram com o capitão Argall. Pouco depois, Pocahontas ficou muito doente e começou a convulsionar. Mattachanna correu para pedir ajuda a Rolfe. Quando eles voltaram, Pocahontas estava morta. Ela foi levada para Gravesend e enterrada em sua igreja. O jovem Thomas foi deixado para trás para ser criado por parentes na Inglaterra, enquanto o resto do grupo navegava de volta para a Virgínia.

Mattachanna, Uttamattamakin e os *quiakros* disfarçados disseram a Wahunsenaca que sua filha havia sido assassinada. Suspeita-se de envenenamento, pois ela estava de boa saúde até o jantar no navio. Wahunsenaca afundou em desespero com a perda de sua amada filha, a filha que ele jurara à esposa que protegeria. Eventualmente, ele deixou de ser chefe supremo e, em abril de 1618, faleceu. A paz começou a se desfazer e a vida em Tsenacomoco nunca mais seria a mesma para o povo Powhatan.

Conclusão

O pouco que sabemos sobre Pocahontas cobre apenas metade de sua curta vida e, no entanto, inspirou uma infinidade de livros, poemas, pinturas, peças de teatro, esculturas e filmes. Esse pouco capturou a imaginação de pessoas de todas as idades e origens, estudiosos e não acadêmicos. A verdade da vida de Pocahontas está encoberta na interpretação dos relatos orais e escritos, que podem se contradizer. Uma coisa pode ser afirmada com certeza: a história dela fascina as pessoas há mais de quatro séculos e ainda hoje as inspira. Sem dúvida, continuará sendo assim. Pocahontas também vive ainda através de seu próprio povo, que continua aqui hoje, e através dos descendentes de seus dois filhos.

Sarah J. Stebbins, agosto de 2010
National Park Service, U.S. Government

Nota da pesquisadora: Existem várias grafias para os nomes de pessoas, lugares e tribos. Neste artigo, tentei usar uma única ortografia, a menos que indicado de outra forma.

Referências

Custalow, Dr. Linwood "Little Bear" and Angela L. Daniel "Silver Star." *The True Story of Pocahontas: The Other Side of History*. Golden: Fulcrum Publishing, 2007.

https://www.nps.gov/jamc/learn/historyculture/pocahontas-her-life-
-and-legend.htm

Haile, Edward Wright (editor) *Jamestown Narratives: Eyewitness Accounts of the Virginia Colony: The First Decade: 1607-1617*. Chaplain: Roundhouse, 1998.

Mossiker, Frances. *Pocahontas: The Life and The Legend*. New York: Da Capo Press, 1976.

Rountree, Helen C. and E. Randolph Turner III. *Before and After Jamestown: Virginia's Powhatans and Their Predecessors*. Gainesville: University Press of Florida, 1989.

Rountree, Helen C. *Pocahontas, Powhatan, Opechancanough: Three Indian Lives Changed by Jamestown*. Charlottesville: University of Virginia Press, 2005.

Rountree, Helen C. *The Powhatan Indians of Virginia*: Their Traditional Culture. Norman: University of Oklahoma Press, 1989.

Towsned, Camilla. *Pocahontas and the Powhatan Dilemma: The American Portrait Series*. New York: Hill And Wang, 2004.

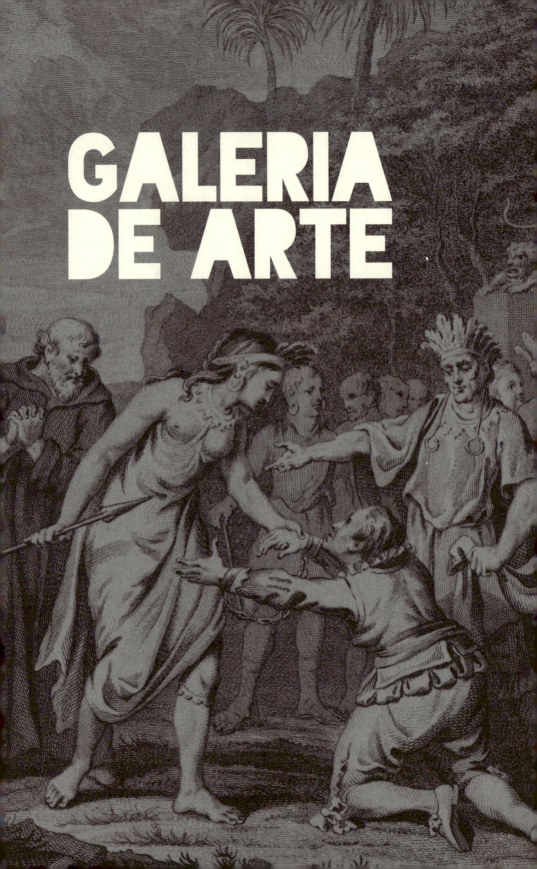

Pocahontas
através da imaginação de artistas

Pocahontas é uma das figuras mais conhecidas do imaginário americano e isso fez com que seu rosto fosse retratado por diversos artistas de todo o mundo. A coragem e pureza de uma pequena princesa indígena a transformou quase em uma lenda, e sua épica atuação para poupar um explorador europeu – episódio que talvez nunca tenha acontecido fora dos diários de John Smith – manteve sua fama como uma heroína atemporal na literatura, cinema e como atrações em museus.

Ao lado:

Pocahontas, *Reinier Vinkeles, após Jacobus Buys, 1751 - 1816 Rijksmuseum*

Ao lado:

*H. D., 1840s, após Robert Matthew
Sully, 17 Jul 1803 - 16 Oct
1855, litografia por J. T. Bowen
Lithography Company, active 1834
- 1844, publicado por Daniel Rice
and James G. Clark. Publicação:
Thomas L. McKenney and James
Hall's History of the Indian
Tribes of North America, 3 vols.,
Philadelphia, 1837 - 1844.
National Portrait Gallery,
Smithsonian Institution; presente de
Betty A. and Lloyd G. Schermer;*

Ao lado:

Encontro entre Henry
Hudson e os nativos norte-
americanos, Pocahontas.
*David Brainerd, J. Johnston,
1869 - 1882 Rijksmuseum*

ZALSMA'NS PRENTEN
DOOR
E. J. VEENENDAAL.
No. 66.

...elschman Hudson den stroom opvoer, die thans nog zijn naam draagt, bracht hij bij zijne eerste ...en brandewijn te voorschijn. Hij dronk er het eerst van. De beker werd daarop aan de op... ... aan roken en er niet van proeven wilden, tot eindelijk een, stoutmoediger dan de anderen, ...iging voor hun gast was, als zij, nadat hij hun bescheid gedaan had er ook niet van drinken ...en dadelijk overviel hem duizeling en bedwelming. Zijne kameraden dachten, dat hij er niet ... hij stond op, verlangde nog meer en zijn voorbeeld vond bij de anderen navolging — tot

Smith, de aanvoerder van eenige Blanken, werd door Indianen overvallen. Zijne makkers werden allen doodgeslagen, hijzelf gevangengenomen. Hij wist hen op allerlei wijze tot verbazing omtrent hen te brengen. Hij werd in triomf van dorp tot dorp rondgeleid. Eindelijk besliste Powhatan, het opperhoofd, dat hij zou gedood worden. Reeds was zijn hoofd op steenen gelegd en hadden de soldaten hunne knotsen opgeheven, om het te verpletteren, toen *Pocahontas*, — die ge hierboven ziet afgebeeld, — de twaalfjarige dochter van het opperhoofd den hals van den gevangene omvatte en haar hoofd op het zijne legde, zoodat het onmogelijk was hem te slaan, zonder eerst haar gelaat te treffen. Hare smeekingen redden hem het leven; Smith werd als vriend der Indianen aangenomen. Pocahontas, die Christin geworden was, huwde in 1613 met een Engelschman, deed met hem eene reis naar Engeland, doch stierf op de terugreis naar haar vaderland, op 22 jarigen leeftijd.

...-Foundland ziet men vele dorpen, waaronder eenige in recht... ...zooals b. v. Torbay, dat wij op de afbeelding zien. De kolonie ...k en een zuidelijk deel; daar tusschen stort een bergstroom, ...ile rotsen ingesloten, zich in donderende watervallen af in de ... op den Godsakker staat, werd in den winter van 1840 ge... ...staan hoofdzakelijk van de opbrengst der visscherijen; toch ...uitgestrekte bebouwing van den grond dan in eenige andere

Dit gedenkteeken werd te Northampton in Nieuw-Engeland opgericht voor den zendeling David Brainard, die er zijn leven eindigde. Zijn eenige wensch was »wijd en zijd het Evangelie te gaan verkondigen." Den 2den Februari 1742 begaf hij zich naar de Indianen, onder wie hij met grooten zegen werkzaam was. Zijne buitengewone krachtsinspanningen ondermijnden zijne lichaamssterkte. Toen hij zijn einde voelde naderen zeide hij: Mijn hemel is, Gode welgevallig te zijn en Hem te verheerlijken . . . . Het is mij een groote troost, dat ik een weinig voor mijn Heiland in de wereld heb mogen doen!" Dertig jaren oud ontsliep hij met den uitroep: »Kom, Heere Jezus, kom haastig! Waarom blijft zijn voertuig zoo lang uit?"

Ao lado:

*Artista não identificado,
criado após Simon van de
Passe, 1595 - 1647
National Portrait Gallery,
Smithsonian Institution;
transfer from the National
Gallery of Art; gift of the
A.W. Mellon Educational and
Charitable Trust, 1942*

AGRA DECI MEN TOS

Esta obra foi publicada através de um financiamento coletivo em conjunto com *Bambi, a história de uma vida na floresta,* de Felix Salten. Só foi possível resgatar este tesouro do passado porque centenas de apoiadores acreditaram no projeto. Muito obrigada!

Encontre outros livros Wish:
editorawish.com.br